Wrede schoonheid

Mieke de Loof

Wrede schoonheid

DE GEUS

Tweede druk

De auteur ontving voor het schrijven van deze roman een werkbeurs van
het Vlaams Fonds voor de Letteren

Vlaams
Fonds
voor de
Letteren

© Mieke de Loof, 2010
Omslagontwerp Mijke Wondergem
Omslagillustratie © Rudolf Dührkoop: Clotilde von Derp-Sacharoff, Inv.
FotoLS2000/1698, Albertina, Wien - Dauerleihgabe der Österreichischen
Ludwig-Stiftung für Kunst und Wissenschaft
ISBN 978 90 445 1558 9
NUR 305

Voor René, die me uitdaagt om de grenzen
van mijn schrijverschap te verleggen.

Ik schilder het licht dat uit de lichamen komt.

EGON SCHIELE

EEN

Ksaveri Ignatz stormde de monumentale trap van de universiteitshal af en stopte. Zijn ex-professor, die hij zo lang niet meer had gezien, stond in gedachten verzonken tussen de arcaden rond de binnenplaats. Een verdwaald dier, dat de kudde niet meer kan vinden, flitste het door Ignatz' hoofd.

'Herr Professor, wat een toeval.'

Professor doctor Erwin von Graff draaide zich om en lachte gespeeld beteuterd toen hij Ignatz herkende.

'Betrapt, Ksaveri. Ik beken, ik ben in slecht gezelschap.'

Hij grijnsde naar de bronzen bustes van zijn overleden collega's.

'Verdwaald en terechtgekomen tussen de fossielen. Red me, Ksaveri.'

Ignatz schrok van de plotse ernst in zijn toon, aarzelde even, maar maakte toen snel een kruis over zijn onderzoekswerk die namiddag in de bibliotheek.

'Redden is mijn beroep, Herr Professor.'

De professor grinnikte.

'Ik weet het, Ksaveri, vergeef me, ik maak schaamteloos misbruik van je reddersinstinct.'

Ignatz vroeg zich af – zoals altijd bij Von Graff – wat echt was en wat theater en besloot het subtiele spel van waarheid en leugen mee te spelen.

'Neem me niet kwalijk, Herr Professor, maar wilt u wel gered worden?'

Von Graffs wenkbrauwen gingen de hoogte in en Ignatz dacht dat hij zijn hand overspeeld had.

'Willen? Het is te laat, jongen. Te laat.'

Von Graffs woorden verkilden Ignatz. Hij begreep er niets van. Von Graff bruiste altijd van energie en blaakte van ambitie en dan nu zo'n uitspraak.

De blik van de professor, die door Ignatz heen ging en gericht leek op een punt in de verte, concentreerde zich weer op hem en werd opnieuw menselijk.

'Maar goed, laten we het over jou hebben, Ksaveri. Wat drijft jou naar dit mausoleum?'

'Opzoekingswerk. Een artikel voor het *Jaarboek Psychiatrie en Neurologie*.'

'Je maakt me nieuwsgierig. Vertel, maar niet hier, de vijand luistert mee.'

Von Graff knipoogde en wees naar de bustes.

'Wat denk je van een stevige lunch? Ik trakteer.'

Ignatz deed alsof hij aarzelde.

'Ik heb nog stapels werk.'

'Ik ook.'

'En een afspraak in de namiddag.'

'Ik ook.'

'En ... thuis waarschuwden ze me altijd om niet zomaar met oudere mannen mee te gaan.'

'Een stevige lunch is geen snoepgoed.'

Ze lachten luid omdat de spanning was verbroken.

'Zo hoor ik het graag', zei Von Graff.

Samen daalden ze de trap af naar buiten. Een vaalwitte maartzon gleed over de marmeren treden en het begon te miezeren.

'Ideaal weer voor Café Landtmann,' zei de professor toen Ignatz zijn paraplu opstak, 'vlakbij en toch een andere wereld.'

Ze wandelden een eindje de Ringstrasse af en Ignatz prees zich gelukkig dat hij zijn professor niet 's avonds tegen het lijf was gelopen. 's Avonds veranderde Café Landtmann in het voorgeborchte van de hel, vond Ignatz, omdat derderangsacteurs van het Burgtheater het cafépubliek eindeloos verveelden met vermoeiende autobiografische monologen. En hoe later op de avond, hoe pathetischer hun gebaren en hoe luidruchtiger hun verdriet. Maar ook 's middags was het leed al nauwelijks te overzien, dacht Ignatz toen ze op het punt stonden Café Landtmann binnen te gaan.

'Sterkte, mijn jongen. Denk aan mijn colleges: observeren, analyseren, niet oordelen.'

Ignatz herinnerde zich hoeveel moeite het hem in zijn werk als zenuwarts had gekost om vooral die laatste aanbeveling, niet oordelen, in praktijk te brengen. In het hoofd van een kinderverkrachter inbreken bijvoorbeeld, zijn driften observeren en analyseren, en hem daarna niet verachten. Hij kon het nog altijd niet, hoezeer Von Graff dit ook eiste.

Ignatz trok zijn harnas van voorkomendheid aan, sloot zijn paraplu, sloeg de druppels er in een soepele beweging af en volgde Von Graff naar binnen.

In Café Landtmann gold de ongeschreven wet dat sommige tafeltjes 's middags voor stamgasten gereserveerd waren. Professor Von Graff had ervoor gezorgd dat zijn tafeltje zo ver mogelijk van dat van Sigmund Freud verwijderd was. Niet omdat hij, zoals de meesten van zijn collega's in de geneeskunde, neerkeek op het werk van Freud, maar wel omdat Freuds ijdelheid en onverdraagzaamheid hem danig op de zenuwen werkten.

Ignatz zag dat Von Graff bij het binnenkomen eerst naar het 'Freudtafeltje' in de hoek keek om het daarna onmiddellijk de rug toe te keren. Von Graff ten voeten uit: altijd uitgesproken in zijn afkeer. Ignatz kon zijn degout voor Freud beter verbergen. Freud speelde zijn leerlingen tegen elkaar uit om zelf de onbetwiste meester te kunnen blijven. Dat zou Von Graff, die genereus was, nooit doen.

'Herr Professor ...'

'Erwin, Ksaveri, voor vrienden heet ik Erwin. Hoe vaak moet ik het nog herhalen?'

Ignatz vond het nog altijd moeilijk om zijn vroegere professor, ook al waren ze in de loop van de jaren vrienden geworden, met Erwin aan te spreken. Het was een kwestie van respect, dat Von Graff al bij de eerste les had afgedwongen. Niet omdat hij in jacquet en met jabot het auditorium binnenkwam, wél om de manier waarop hij hen inwijdde in de geheimen van *Geslacht en karakter*, het omstreden boek van Otto Weininger.

'Opent u uw college over de vrouwelijke seksualiteit nog steeds met de schokkende vraag: "Wie van u heeft *Geslacht en karakter* gelezen?"'

Von Graff glimlachte.

'Mijn coup de théâtre. Jawel, straks is het weer zover. Dus hoog tijd om de inwendige mens te versterken.'

Ze bestudeerden het menu en Ignatz nam ondertussen onopvallend zijn omgeving op. Veel groene pluche, fijne heertjes en lonkende dames, een slaapverwekkende combinatie. Hij keek naar de hoofdroos op de vettig glanzende kraag van zijn professor. Hij laat zich gaan, dacht hij, hij verzorgt zich niet meer.

'Wat kijk je, Ksaveri?'

Ignatz schrok. Hij wist niet dat Von Graff hem van achter zijn menukaart observeerde.

'Ik vroeg me af of u tijdens uw colleges nog altijd zo'n bloedrode camelia in het knoopsgat van uw revers hebt ...'

'En of ik nog doceer met mijn sneeuwwitte gemsleren handschoenen aan? Ik moet je teleurstellen.'

'Die attributen pasten nochtans bij u.'

'Pure vorm, jongen. Een echte dandy heeft dat niet nodig. Daar ben ik pas laat achter gekomen.'

Ignatz lachte.

'Een echte dandy is gelijkmoedig, vrij van emotionele bindingen', zei Von Graff.

Ze zwegen.

'Maar ook dat ben ik niet.'

Voor het eerst vielen Ignatz de donkerpaarse wallen onder Von Graffs ogen op. Wat zou hem wakker houden? Hij had wel een vermoeden: Wenen was een groot dorp en ja, hij had de roddel opgevangen dat Von Graffs liefje hem in de steek had gelaten. Ignatz zag vanuit zijn ooghoeken hoe zich aan de overkant, uit een nest kirrende cocottes een elegante dame losmaakte die, heel toevallig, op haar tocht naar het damestoilet, de mouw van een heer met brede bakkebaarden beroerde. Verstrooid keek de deftige heer op zijn horloge, vouwde *The Financial Times* dicht en volgde haar naar de chambre séparée.

'Wat denk je, Ksaveri, ook een gegrild gansje?'

In de spiegel had de professor de transactie ook gezien. Ignatz voelde zich opgelaten.

'Of liever klassiek, knakworst met mosterd?'

Ignatz schoof ongemakkelijk op zijn stoel en de professor zag het geamuseerd aan.

'Een grapje, Ksaveri, een onschuldig grapje van Von Graff, de smet op het blazoen van onze zo beroemde faculteit geneeskunde.'

'Een smet zou ik u niet noemen.'

'Een schandvlek dan.'

'Nee,' Ignatz aarzelde even, 'eerder een lichtvlek in donkere tijden.'

'Dank je, als ik dát geweest ben, al was het maar voor een paar van mijn studenten, dan is mijn leven niet voor niets geweest.'

Ignatz slikte. Von Graff sprak alsof zijn leven al voorbij was.

'Maar je ging me vertellen over je artikel voor het *Jaarboek*?'

'Ja, over mijn zelf ontwikkelde therapie. Een mengeling van eeuwenoude soefistische en Tibetaanse wijsheden.'

De ober bracht de dampende schotels en de conversatie stokte. Ignatz vroeg zich af of hij zou prijsgeven dat zijn therapie ook op de geestelijke oefeningen van Ignatius van Loyola, de stichter van zijn orde, stoelde en of hij zou verklappen dat hij zijn patiënten over teksten van Baltasar

Gracián, een zeventiende-eeuwse jezuïet, liet mediteren. Te veel jezuïeten, dacht hij. Zo wek ik de nieuwsgierigheid op van Von Graff. Hij heeft een fijne neus voor geheimen en boort graag in verborgen levens. Sinds een half jaar gebruikte Ignatz zijn werk als zenuwarts als dekmantel voor zijn activiteiten als geheim agent van de jezuïeten.

'En werkt ze, je nieuwe therapie?'

'Ik boek er goede resultaten mee, maar bij een van mijn patiënten werkt ze totaal niet.'

'Je krijgt geen contact met hem.'

'Ze verandert telkens als een blad aan een boom.'

'Met vrouwen werken is altijd moeilijk. Voor je het weet ben je álles voor hen: vader, man, God en enige toeverlaat.'

'Ik ken de gevaren … Erwin, maar bij haar ligt het anders: geen getijden van aantrekken en afstoten, geen projectie van gevoelens, geen gevoelens tout court. Kan dat bij een vrouw?'

'Leer mij de vrouwen kennen.'

Von Graff stak zijn vork en mes in de lucht en keek theatraal naar de zoldering.

'Ze hebben geen essentie, geen eigen doel. Ze zijn niets, ze vloeien en veranderen maar.'

Ignatz grinnikte. Hij citeert uit zijn college, dacht hij.

'Zoals slijmdiertjes groeien en krimpen ze naar gelang de mannen met wie ze omgaan. Versmelten willen ze, volledig opgaan in een ander, welke schlemiel dat ook moge zijn.'

Ignatz schrok van de ernst en de bitterheid waarmee Von Graff *Geslacht en karakter* parafraseerde. Zijn uitspraken waren veel giftiger dan ze in *Geslacht en karakter* ooit bedoeld waren. Dit was helemaal niet de Von Graff die hij kende. Zijn geliefde moet hem diep gekwetst hebben, dacht hij.

Von Graff doopte een stukje eendenborst in de zoetzure saus en zei, zonder zijn hoofd op te richten: 'Maskers. De vrouw verstopt haar verdriet achter maskers.'

Ignatz keek naar de schilferige huid van Von Graff en vroeg zich af of de hoornlaag, die nu losliet, ook een masker was dat hij afwierp. Hij zag hoe het namiddaglicht de sigarenrook filterde en een bijna onzichtbare sluier van melancholie op het gelaat van Von Graff legde.

'Een pousse-café om te eindigen, Ksaveri?'

'Mijn afspraak ...'

Von Graff zuchtte en zei: 'Ik weet het, je hebt het druk. Ik ook. Na mijn college moet ik nog naar Schiele en daarna komt ...'

'Naar Egon Schiele? Om u te laten portretteren?'

'Nee, Ksaveri, ik verkies het om, net als mijn overleden collega's, in brons vereeuwigd te worden.'

'Dan houd ik u niet langer op.'

Ignatz besefte maar al te goed dat hij het namiddaggesprek veel te vlug afrondde. Dat hij niet de tijd nam om Von Graff te vragen waarom zijn hart zo bloedde.

'We moeten dit meer doen', zei Ignatz en hij vond zichzelf een lafaard.

'Nog altijd de perfecte gentleman.'

'Als het wat minder druk is.'

'Zeker, Ksaveri. Als het wat minder druk is.'

Ignatz stond op en gaf zijn professor een hand. Even ontmoetten hun ogen elkaar en Ignatz zag er een verlorenheid in, die hij nooit meer zou vergeten.

Toen liet hij Von Graff alleen achter in Café Landt-mann, zonder de beslissende vraag te stellen. Iets waar hij tot op het einde van zijn dagen spijt van zou hebben.

*

Doctor Erwin von Graff, professor seksuele pathologie aan de faculteit geneeskunde van de Weense universiteit, stak langzaam het boek in de hoogte. Zijn stem galmde door het auditorium.

'Wie van u heeft *Geslacht en karakter* gelezen?'

De studenten zwegen.

'Niemand?'

Hij glimlachte.

'Schrik om betrapt te worden met pornografie?'

De professor nam zijn tijd om het sigarenbandje van zijn sigaar te schuiven.

'Mijne heren, ik weet wat mijn collega's over me zeggen: die seksueel verknipte Von Graff brengt zijn studenten op het slechte pad. En toch blijf ik erbij: u moet dit boek le-zen. Uit zelfbehoud.'

De professor knipte resoluut de punt van zijn sigaar af.

'*Geslacht en karakter* is géén pornografie, laat staan pornografie vermomd als filosofie. Dit meesterwerk legt op een geniale manier de natuur van de vrouw bloot, haar lagen en haar listen; hoe ze de mannen in haar netten ver-strikt en de poel van verderf in sleurt.'

De professor zoog aan zijn sigaar.

'Elf jaar geleden, in 1903, een paar maanden na het schrijven van dit meesterwerk, joeg Otto Weininger, drieëntwintig jaar jong, zich een kogel door het hart. Het mysterie van de vrouw ontrafelen, kan – daarvan hoef ik u, mijne heren, niet te overtuigen – een man het leven kosten.'

Von Graff liet een pauze vallen en stapte met lichtverende tred, een tred die in Wenen erg in de mode was, van de lessenaar naar het bureau, dat midden op het podium stond.

'Vleselijke lust en dood, ze hebben alles met elkaar te maken.'

Von Graff knikte naar de pedel, die de gordijnen sloot, veegde het zweet van zijn voorhoofd en ontstak een voor een de lichten, die koud op het tafelblad schenen.

'Bent u er klaar voor? Klaar voor het universum van de vrouw, de vergaarbak van passie, gruwel en lust? Als u zwak bent, ga dan. Het kan nog, ongeschonden. Als u sterk bent, blijf. Op eigen verantwoordelijkheid.'

Zijn stem klonk vreemd vervormd omdat hij plots achter het bureau was verdwenen. Hij scharrelde er wat, vond wat hij zocht, zuchtte van tevredenheid en rees omhoog. Niemand bewoog.

'Kijk wat ik voor u heb meegebracht.'

Precieus en voorzichtig toverde hij een bokaal met groteske geslachtsorganen tevoorschijn en zette hem op het tafelblad. Gevangen in de lichtcirkel weerkaatste hij de dood.

'Het werk van de vrouw.'

Weer verdween Von Graff achter het bureau en diepte nu een bokaal met een wit geweekte, wak geworden foetus op, hief hem hoog boven zijn hoofd en draaide er langzaam mee van links naar rechts. Het was nu muisstil in het auditorium. Hij plaatste de bokaal met de misvormde foetus aan de rand van de lichtkring. Dit ritueel herhaalde hij viermaal met telkens een andere foetus, die hij in een cirkel rond de geslachtsorganen schikte. Gehypnotiseerd staarden de studenten naar het stilleven op het bureau.

'Het resultaat van de perverse ziekte. Een cadeautje van de vrouw aan onschuldig, ongeboren leven', fluisterde hij hees.

Voor de laatste keer dook hij naar beneden en haalde een wassen hoofd naar boven dat hij in het midden van het macabere tableau op het bureau plantte. Het was het sluitstuk: een moulage van een aangevreten gezicht. Het verduisterde halfrond plooide naar binnen.

'Dit anatomische waspreparaat, mijne heren, is de trots van onze universiteit. Nergens ter wereld wordt syfilis in stadium III zo waarheidsgetrouw weergegeven. Puur vakwerk, perfecte kleur en geen stank van een rottend gezicht.'

Een rimpeling van afschuw trok door het auditorium.

'Goed, heren, we beginnen eraan: de bevlekking door de vrouw.'

*

Vleselijke lust en dood, ze hebben alles met elkaar te maken.' Ik sluit mijn ogen om mijn opwinding beter te kunnen voelen en hoor de gordijnen dichtschuiven. Hij zucht. Hoe zal die zucht straks klinken? Hevig? Hijgend? Stokkend? Ik voel het tintelen in mijn onderbuik en regel mijn ademhaling. Ik ruik zijn angst en rek me uit als een panter. Zijn magere vingers grijpen gretig naar de grote geslachtsorganen. Alleen koud glas scheidt ze nog van elkaar. Ik sluit mijn ogen weer. Wil je dat ik dat ook bij jou doe, Herr Professor? Gretig grijpen naar je vlees? Ik slik mijn speeksel weg en denk aan vanavond. Mijn lichaam gloeit. Ik zal je geven waarnaar je zo diep verlangt, professor, ik zal je blussen, ik zal je dopen. Niet in het zuivere water van de natuur, maar in het ontsmette sap van de wetenschap. In formol, formaline, formaldehyde. Maar eerst zal ik je aanraken en je zult rillen van genot. Ik zal je betasten en je zult smeken om meer, ik zal je bijten en in je kerven en je zult roepen: kom in mij, doe alles met mij. Maar dan, professor, dan wacht ik even. Pas als je longen raspend tegen je borstkas schuren van je gejank, geschreeuw en gekerm om meer, pas dan plooi ik je open. Pas dan ontvouw ik de bleke opperhuid van je buik tot ik je donkerrode lippen van maag, milt en lever vind, waarin ik me zal verliezen.

*

Professor doctor Erwin von Graff wandelde langs de Universitätsstrasse en de Spitalgasse naar de Frauenklinik. Hoe dikwijls had hij deze weg niet afgelegd met Minning, zijn geliefde, die zo trouwhartig naar hem opkeek als hij haar zijn arm gaf. De herinnering sneed hem door zijn hart. Hij versnelde zijn pas. Ondankbaar wicht. Hij nam zijn zakhorloge: vijf voor zes, ik moet me reppen. Hij schakelde een versnelling hoger en als vanzelf laaide het vuur van zijn woede op. Je kon niets, wist niets, was niets, Minning. Stop dat maar goed in dat mooie, domme hoofdje van je en ook al verliet je me voor dat uilskuiken, weet goed dat je alles aan mij te danken hebt. Alles. Wie raapte je op uit de goot? Wie leerde je converseren, je gedragen, je kleden? Een leeg vat was je, Minning. Hij keek weer op zijn horloge: zes uur. Nog tijd genoeg om Egon Schiele uit het mortuarium te bevrijden, me thuis te verfrissen en de wijn uit de kelder te halen voor mijn gast.

Leid me naar Schiele, Herr Professor, leid me naar hem.

Von Graff ontsloot de metalen deuren van de zij-ingang van de Frauenklinik. Het geluid van zijn stap leek door elke witgelakte tegel teruggekaatst te worden. Hij opende de voorlaatste deur. Een flauwe grappenmaker had UARIUM weggekrast zodat de pijl naar beneden enkel nog MORT aangaf.

Het licht was uitgevallen maar hij kende de weg en schuifelde langs de trap naar het kleine platform. Hij wachtte even en dwong zichzelf tot rust: zijn woede was bekoeld. De muur voelde alsof er doodszweet op stond. Hij greep naar de ijzeren trapleuning en een akelig gevoel besprong hem: hij was niet alleen. Met een ruk draaide hij zich om, zijn beide handen voor zich uit zwaaiend. Niets, lucht en leegte.

Is je verlangen zo groot, Herr Professor, dat je hulpeloos en blind naar me tast? Als een baby, die zoekt naar de moederborst? Als een minnaar, die snakt naar zijn geliefde?

Von Graff rilde. Hij hoorde het weer. Hij bleef stokstijf staan. Iets, vlakbij, haalde adem. Een roofdier dat zijn geur opsnoof. Hij stormde naar beneden, duwde met heel zijn gewicht de ijzeren deur open en struikelde het mortuarium binnen. Het schelle licht verblindde hem.

*

Egon Schiele stond voor de lijkbaar. Vanuit de rechterpols trok hij met een staafje houtskool snel, trefzeker en soepel lijnen op het witte papier. Zijn donkere ogen boorden zich in het naakte lichaam dat voor hem lag. Hij observeerde de knoken in haar handen en haar opgezwollen gewrichten, stille getuigen van het leven in de voorstad. Het contrast wilde hij vatten; de tegenstelling tussen haar zachte contouren en het skelet dat hoekig door haar bleke huid duwde. Het lukte hem niet en verstoord gooide hij het blad op de grond.

Schiele ging naar de hoek van het mortuarium en dronk een glas water. Ontvankelijk moet ik zijn, niets verwachten, niets begrijpen, alleen maar openstaan, registreren. Hij stapte over de mislukte schetsen heen, weer naar het midden, zette zijn rechtervoet op het krukje, hield met zijn linkerhand de bovenhoek van zijn schetsboek vast en begon opnieuw.

'Ik ben jou,' fluisterde hij de dode jonge vrouw toe, 'en jij bent mij.' En ineens was het er, het moment waar hij zo naar snakte. Uit het niets verschenen de contouren op het papier en in enkele lijnen legde hij haar neer. Een onvergelijkbare vreugde maakte zich van hem meester en in gedachten zag hij al haar lichaam: een juweel van bruin, rood, baksteen en oranje, gevat in een leegte van oker, abrupt afgesneden door de scherpe randen van het papier.

Hij hoorde amper dat Von Graff binnentuimelde. Pas toen zijn eerbetoon aan de dode jonge vrouw op papier stond, keek hij op.

'Inspirerende vrouw, Egon?'

Egon Schiele zweeg. Voorzichtig verborg hij zijn schets in de zwarte tekenfarde en nam een nieuw blad.

'Ik heb met haar gesproken.'

De eenvoud en vanzelfsprekendheid van Schiele troffen de professor. Hij weent van binnen, dacht Von Graff en hij wendde zijn blik af omdat hij het nu niet verdroeg om in een spiegel te kijken.

We zien te veel, dacht Von Graff: in schoonheid verval, in perfectie verdriet en in alles wat leeft de dood. Hij keek naar het witte blad. Hij herkende Schieles hunkering naar het absolute, zijn gedrevenheid, dat passionele leven alsof je haar in brand stond en iedere seconde telde. Net als Schiele had hij ingebeukt op de middelmaat van de gevestigde orde en veel vijanden gemaakt. Hij had het wezen van de vrouw willen doorgronden en Minning was zijn levenswerk, zijn muze, de incarnatie van het eeuwig vrouwelijke geweest. Ze had hem verlaten, voor altijd, en de pijn was niet te harden.

Von Graff voelde een traan over zijn gelaat glijden en om zijn gêne te verbergen ging hij naar de hoek van het mortuarium en waste omslachtig zijn handen. Schieles ogen volgden de professor en zagen hoe zijn opgetrokken schouders een verdedigingsmuur tegen hem probeerden op te richten. Tevergeefs, de muur vertoonde barsten en scheuren. Angst en verdriet sijpelden er overal doorheen. Hij verkruimelt waar ik bij sta, dacht Schiele en mededogen overviel hem. Hij begon Von Graff te tekenen. De houtskool schraapte over het zachte vel papier; eerst rustig, daarna alsmaar sneller en sneller. Het staafje houtskool werd een scalpel dat sneed tot in de ziel van Von Graff en wat hij zag was een zwartgapende afgrond van eenzaamheid en verdriet. Von Graff draaide zich om, keek naar Schiele en wiste zich het zweet van het voorhoofd.

'Egon, het spijt me, ik moet het mortuarium sluiten. Het is tijd.'

Schiele antwoordde niet maar bestudeerde de tekening doodstil, vanaf een afstand.

Von Graff nam zijn horloge uit zijn binnenzak en wond het op. Schiele bleef met halfgesloten ogen naar de tekening kijken, stapte naar voren en maakte haar met één dodelijke haal van zijn houtskoolstift af. Voorzichtig stak hij de tekening van Von Graff bij die van de dode jonge vrouw. Alleen het flinterdunne zijdepapier scheidde hen nog van elkaar.

TWEE

Elisabeth von Thurn hoorde hoe de deur met een klik in het slot viel en ging naar de sofa waarop ze, meer dan twintig jaar geleden, samen met haar vader geduldig op de Weense onderzoeksrechter, Hofrat Siegfried von Recht had gewacht. Ze was toen bijna twaalf.

Nog niets veranderd, dacht Elisabeth: de sofa vloekte nog even erg met het tapijt op de parketvloer. Ze vroeg zich af waarom de drukbezette onderzoeksrechter haar vandaag zo dringend moest spreken. Had hij nieuws over papa, die nu al bijna twee jaar spoorloos was? Waarom had hij daar dan niet naar verwezen in de uitnodiging? Of kon hij het nieuws over papa enkel heel voorzichtig in een persoonlijk onderhoud brengen? Altijd weer die opvlammende hoop tegen beter weten in, altijd weer die misselijkmakende spanning. Haar blik viel op de kranten, die zorgvuldig op het salontafeltje waren gearrangeerd.

WENEN DIEP GESCHOKT DOOR GRUWELMOORD
OP PROFESSOR VON GRAFF
WEENSE POLITIE JAAGT OP MOORDENAAR
MOORDENAAR MAAKT KUNSTWERK IN FORMOL

Ze pelde haar handschoenen van haar vingers, maar midden in die handeling stopte ze omdat ze plots de stem van haar vader hoorde, die haar zo de wereld van meer dan twintig jaar geleden in trok.

'Zie je die kranten, mijn liefje?'
Ze knikte.
'Niet aankomen, ze zijn gedrenkt in gif.'
Elisabeth wist dat papa haar graag voor de gek hield maar ze twijfelde: zouden ze nu écht in gif gedrenkt zijn of niet? De twinkeling in zijn ogen verraadde hem, maar toen ze naar een van de kranten op de salontafel reikte, hield hij haar tegen.
'Niet doen. Ze nemen hier je vingerafdrukken.'
Elisabeth wist dat je met poeder en een kwast onzichtbare vingerafdrukken zichtbaar kon maken, dat had papa haar geleerd.
'In de kamer hiernaast gebeurt het, liefje.'
Hij wachtte even om de spanning op te drijven, knoopte het zijden lint van haar hoedje los en zette het hoedje recht. Niemand anders dan haar vader mocht dit doen want Elisabeth vond dat ze, nu ze twaalf zou worden, oud en wijs genoeg was om alles zelf te doen.
'Stijve bedienden met sneeuwwitte handschoenen halen na ieder bezoek de kranten op, bepoederen die in de kamer hiernaast met argentoraatpoeder, ritselen en rui-

zelen nog wat met hun kwasten en borsteltjes, laten wat jodium opdampen om de duivel weg te jagen en maken alles klaar voor het wonder. Het onzichtbare wordt dan plots zichtbaar. Een voor een komen ze tevoorschijn: de vingerafdrukken, mooie, ovalen medaillons met daarin grillige patronen van altijd andere papillairlijnen.'

Haar vader fluisterde dit allemaal in haar oor terwijl hij een nieuwe strik in het zijden lint van haar hoedje legde. Elisabeth gloeide van trots en blijdschap omdat hij haar zulke moeilijke maar o zo mooie woorden als 'argento-raatpoeder' en 'papillairlijnen' toevertrouwde. Ze klonken als toverformules.

'Wat doen ze ermee, papa, met die medaillons? Hoe bewaren ze die met al dat poeder er nog op?'

'Ze fotograferen ze, maken er een afdruk van en fixeren de gepoederde vingerafdruk met een heel fijne, doorzichtige gummiband.'

De stralende, helblauwe ogen van haar vader verdoften en de klank van zijn stem stierf weg. Elisabeth stond weemoedig naast de sofa. Langzaam trok ze haar half uitgetrokken handschoen weer aan.

Kijk met de blik van papa, vermande ze zich, hij heeft zijn kennis als spion voor het Habsburgse Rijk aan jou doorgegeven, bewijs dat hij je goed heeft opgeleid, in plaats van hier wat te staan dromen. Wat was zijn devies? Observeer, analyseer en deduceer. Von Graff is op 1 maart 1914 vermoord, in de nacht van zaterdag op zondag. Het is nu al de zevende. Waarom dan die gedateerde kranten van 3 maart op de salontafel? Waarom Von Graff? Er zijn sindsdien heel wat belangrijker dingen gebeurd: internationale spanningen, een oorlog die op het punt staat om uit te breken ... Wat wil de Hofrat van me? In welk spel wil hij me betrekken?

Elisabeth staarde naar de krantenkoppen.

Haar blik dwaalde af naar de grote schilderijen aan de muur.

'Wat vind je van de schilderijen, mijn liefje?'

Weer die vrolijke stem van haar vader en weer liet ze zich meevoeren naar het verleden.

'Er zit geen ziel in.'

Haar vader schaterde het uit.

'In geen van beide?'

De kleine Elisabeth bestudeerde het schilderij links van het statige bureau van Hofrat Siegfried von Recht en het schilderij rechts ervan, maar ze bleef erbij, geen van beide sprak haar aan.

'Kom eens wat dichterbij, liefje, en kijk eens goed naar de ogen van de volbloed.'

Elisabeth rook het paardenzadel, zag hoe de volbloed zijn berijder van zich afgooide en naar haar toe kwam. Met een tijgersprong gooide ze zich op zijn rug. De volbloed brieste en steigerde, maar Elisabeth wist de teugels te grijpen en strak te houden. Tonen wie de meester was, daar kwam het op aan.

'En, wat zie je?'

Elisabeth wist dat ze achter de façade moest kijken, maar het lukte haar niet. Een schilderij is meer dan een schilderij, had papa gezegd. Soms verbergt het iets of toont het de weg … En ineens zag ze het.

'Het lichtje in de ogen van het paard', zei ze zachtjes.

Haar vader knipoogde en fluisterde: 'Geen ziel, maar wel een cameraoog, midden in het oog van het paard van Zijne Apostolische Majesteit, keizer Franz Joseph de Eerste. En kijk nu eens goed naar het andere schilderij. Wat zie je daar?'

Elisabeth zag niets.

'Richt je blik, mijn hartje. Als je weet waarnaar je moet kijken, vind je het. Zoek, zoek ogen, zoek lenzen.'

Elisabeths ogen vlogen over het jachttafereel met keizerin Sissi, kaarsrecht in amazonezit, omringd door haar Hongaarse aanbidders op hun fraaie paarden. Ze negeerde de fletse ogen van de aanbidders en de koortsige blik van Sissi en concentreerde zich nu op de dieren. Zo veel ogen, dacht ze, tot ze de lens van de tweede camera in de grote zwarte ogen van de windhond zag.

'Nu snap ik het. Links en rechts een camera.'

'Voor de zijaanzichten van de bezoekers', knikte haar vader.

Ze zag de foto's voor zich van gekken en misdadigers, die in papa's boeken stonden. Telkens drie foto's voor één misdadiger of één gek en daaronder altijd: 'profiel links', 'profiel rechts', 'frontaal', en ineens dacht ze: de derde camera.

'Daar. Ik zie het!'

'Ssst, niet zo luid, mijn slim vosje. De muren hebben hier oren.'

'Daar, achter het bureau van de Hofrat, het portret van de keizer. Ik zie een lichtje in zijn ogen.'

'Goed zo, kleintje. Krijgt zo'n oud reptiel toch wat glans.'

'Hochverehrte gnädige Frau, sta me toe u de hand te kussen.'

Elisabeth draaide zich om en zag hoe de boekenwand zich geruisloos achter Hofrat Siegfried von Recht sloot.

'Herr Hofrat, wat is dit lang geleden', hoorde ze zichzelf flemen terwijl ze elegant haar hand aanbood.

'U wordt mooier met de jaren, gnädige Frau. Maar gaat u toch zitten. Maak het u gemakkelijk.'

Elisabeth zag hoe zijn blik op haar handschoenen viel en ze lachte hem onschuldig toe. Het spel van tonen en verbergen beheerste ze als geen ander.

'Wat mag ik u aanbieden?'

'Een espresso graag, Herr Hofrat.'

De Hofrat duwde op een knop onder aan zijn bureau.

'Gestreckt?'

Elisabeth knikte.

'Twee espresso's, Herr Friedl. Gestreckt.'

Niet sterk: zo prefereert hij zijn koffie én zijn vrouwen, dacht ze.

'Herr Hofrat, neemt u me niet kwalijk dat ik zo met de deur in huis val, maar hebt u nieuws over mijn vader?'

'Ik weet niet meer dan jij, Elisabeth – ik mag je toch tutoyeren, hoop ik. Je vader is voor het laatst gezien in Sint-Petersburg na zijn diplomatieke missie in Servië. Daarna hebben we niets meer van hem gehoord.'

De Hofrat begreep Elisabeths vraag. Ze hoopte nog altijd op een teken van leven. Hij wist uit ervaring dat de kans dat een spion van het Habsburgse Rijk, die zo lang niets van zich had laten horen, nog in leven zou zijn, bijna onbestaande was en dat wist zij ook. Maar hij zag hoe moeilijk ze het had om die waarheid onder ogen te zien. Hij had vaker vastgesteld dat geharde professionelen het moeilijk kregen als hun dierbaren iets overkwam en hij had medelijden met haar, vooral omdat hij nog meer slecht nieuws had.

De Hofrat nam een dikke portefeuille uit de bureaula. Zijn bruingevlekte hyenahanden haalden de linten van de portefeuille open om de buit eruit te halen: verslagen, losse aantekeningen, enveloppen en ook een dikke map. *De kunstenaar-lustmoordenaar,* las Elisabeth op het voorplat van de map. *Verslag: Prof. Albin Haberda.* De Hofrat vouwde zijn handen als in een gebed om vergeving. Beiden spraken geen woord tot de bediende het dienblad met de espresso's op het bureau had gezet en de kamer had verlaten.

'De kunstenaar-lustmoordenaar? Hebt u me voor hem laten komen?'

De Hofrat sloot even zijn ogen. Hij had dit gesprek een kleine week voor zich uit geschoven in de hoop dat er zich een andere oplossing zou aandienen en dat hij Elisabeth von Thurn het verdriet van een identificatie zou kunnen besparen. Maar nu was uitstel niet langer mogelijk.

'Je vader, mijn vriend, zou hebben gewild dat ik je de waarheid vertelde.'

Elisabeth rechtte haar rug.

'Maakt u zich geen zorgen, Herr Hofrat, ik kan wel tegen een stootje.'

'En hij heeft me bezworen nooit je moeder lastig te vallen maar, bij eventuele problemen, zo snel mogelijk jou te contacteren.'

'Niet mijn broer?'

'Nee, dat vond ik ook zo eigenaardig. Ik hoor het je vader nog zeggen: "Contacteer Elisabeth, zij weet altijd een oplossing."'

Elisabeth staarde voor zich uit.

'Trouwens, je broer zouden we niet hebben kunnen bereiken. Werkt hij tegenwoordig niet als archeoloog in Klein-Azië?'

Elisabeth voelde zich heel even boos worden. De Hofrat had waarschijnlijk toch, tegen de uitdrukkelijke wens van papa in, geprobeerd om eerst contact op te nemen met Arthur. Ouwe slang, dacht ze.

De Hofrat herschikte zijn papieren en schraapte zijn keel.

'Je hebt het nieuws over de moord op professor Von Graff gehoord, neem ik aan.'

'Wenen gonst van de geruchten over de toedracht.'

Onwillekeurig keek de Hofrat naar het tafeltje met de kranten.

'En de kranten spinnen er garen bij.'

'Zo is het, Elisabeth. Dan weet je waarschijnlijk ook dat ik het onderzoek naar de moord op Von Graff leid.'

Elisabeth knikte.

'Je vader heeft mijn vertrouwen nooit beschaamd en ik hoop van jou hetzelfde.'

'Dit gesprek heeft, wat mij betreft, nooit plaatsgehad, Herr Hofrat', zei Elisabeth terwijl ze het cameraoog boven het bureau van Von Recht fixeerde.

'We begrijpen elkaar.'

De Hofrat opende de map, bladerde door de eerste pagina's, vond wat hij zocht en las luidop.

De kunstenaar-lustmoordenaar behoort tot de soort misdadigers die professor doctor R. von Krafft-Ebing het gevaarlijkst vindt: de psychopaten. Het zijn roofdieren zonder geweten, die genieten van de pijn die ze hun slachtoffer bezorgen. Alles draait om pijn. Pijn en genot. De lustmoordenaar krijgt een orgasme van het folteren van zijn zorgvuldig uitgekozen slachtoffer, want in zijn fantasie is foltering een perverse imitatie van ontmaagding. Daarom is het invasief instrument (in dit geval waarschijnlijk een scalpel) van essentieel belang en daarom situeren de verwondingen zich in de onderbuik en de genitale streek van het slachtoffer. Ik verwijs hiervoor ook naar het geval Jack the Ripper (1 december 1887, 7 augustus, 8 september, 30 oktober, 9 november 1888, 1 juni, 17 juli, 10 november 1889).

'Herr Hofrat, neem me niet kwalijk dat ik u onderbreek maar, met alle respect voor professor Haberda, voor zijn analyse plukt hij allemaal zinnen uit de *Psychopathia Sexualis* van Krafft-Ebing. Uit hoofdstuk tien, 'Sadisme', om precies te zijn. Ik begrijp niet goed waarom u dit voorleest en wat u van mij wilt. En wat heeft dit met de moord op professor Von Graff te maken?'

'Kende je professor Von Graff?'

De Hofrat keek haar strak aan.

'Ik heb hem één keer ontmoet, op de première van *Pygmalion* van Bernard Shaw, maar hij had toen andere dingen aan zijn hoofd.'

'Dat mag je wel zeggen: de hele Weense beau monde sprak erover, hoe Von Graff en zijn hartsvriendin elkaar afmaakten na de première. Hij verongelijkt en neerbuigend, zij gepassioneerd en vulgair.'

'*Pygmalion* in het kwadraat.'

De Hofrat grinnikte.

'Net je vader, Elisabeth, even gevat en even ongeduldig.'

'Mijn excuses, Herr Hofrat, gaat u alstublieft verder. Ik blijf hopen dat professor Haberda me iets nieuws weet te vertellen.'

De Hofrat dacht: binnen enkele minuten zul je je ongeduld vervloeken, Elisabeth, en wensen dat je nooit zou hebben gehoord wat ik je moet vertellen.

Hij las luidop verder.

Na grondig onderzoek van de plaats van de moord en van het stoffelijk overschot van het slachtoffer hebben we het sterke vermoeden dat het narcistisch syndroom van de kunstenaar-lustmoordenaar is uitgegroeid tot grootheidswaanzin van de ergste soort: hij denkt dat hij de wereld zal verbijsteren met zijn gedurfde creaties. Hij plaatst zichzelf in de galerij van de allergrootste kunstenaars. Met de moord op professor Von Graff verwijst de kunstenaar-lustmoordenaar zelfs naar Shakespeare.

Elisabeth zweeg.

'Professor Haberda', verduidelijkte de Hofrat, 'verwijst hier naar Ophelia, die gek werd van verdriet om Hamlet en verdronk.'

'Ja, in het *Neue Wiener Tagblatt* schreef Füchsl, hun beste misdaadverslaggever, dat het lichaam van professor Von Graff gevonden werd op de bodem van zijn bad, dat was gevuld met formol.'

'De stank was vreselijk, Elisabeth, maar het leek alsof hij sliep in water. Als Ophelia. Of, zoals Shakespeare schrijft ...'

De Hofrat ging naar de boekenkast, pakte een boek en sloeg het open op de pagina waartussen een bladwijzer stak: '... als een wezen, in dat element geboren en getogen.'

In gedachten verzonken ging de Hofrat weer naar zijn bureau en legde het boek naast zich neer.

'Zijn gezicht was vredig, Elisabeth. Onbegrijpelijk als je weet hoeveel hij die laatste uren moet hebben geleden.'

De Hofrat pauzeerde even.

'Zijn onderbuik was opengesneden en zijn ingewanden waren verdwenen.'

Elisabeth draaide, zo gauw ze hoorde hoe Von Graff gefolterd was, de knop van haar emoties om en schakelde over op haar verstand.

'Als fetisj meegenomen, om de herinnering te koesteren?'

'Nee, Elisabeth, zo voorspelbaar als de gevallen die in de *Psychopathia Sexualis* beschreven staan, is deze moordenaar niet. De ingewanden van professor Von Graff lagen er nog, kunstzinnig geschikt in een schaal op de schouw. Als een stilleven.'

'Mag ik de foto's van het lijk zien, Herr Hofrat?'

De Hofrat zag de besliste blik in Elisabeths ogen en reikte ze aan. Elisabeth nam de tijd om de foto's in zich op te nemen. Von Graffs buikwonde had een scherpe rand en op zijn enkels en polsen zag ze donkere striemen. Zou de moordenaar Von Graff eerst met chloroform bedwelmd hebben? Elisabeth zag in haar verbeelding de moordenaar zitten, rustig wachtend, op een stoel, tot de vastgebonden Von Graff weer bij bewustzijn kwam. Naast hem de steriele instrumenten, die hij straks zou gebruiken. Verstrooid streek ze over haar lange klokrok.

'Nu zie ik het', zei ze. 'Nu begrijp ik waarom Haberda de nieuwe categorie 'kunstenaar-lustmoordenaar' heeft geïntroduceerd. In Von Graffs leeggeschraapte buikholte liggen bloemen. Van glas.'

Ze keek nog eens naar het moordtafereel.

'Ken je de Blaschka's, Elisabeth?'

'De glaskunstenaars uit Bohemen?'

'De bloemen zijn gemaakt in het atelier van de Blaschka's. Alles wees erop: het superieure ontwerp, het geraffineerde kleurenpalet, de ragfijne afwerking en ons onderzoek heeft het bevestigd. Jammer genoeg heeft de koper van de kunstwerkjes zijn identiteit vakkundig verborgen achter stromannen.'

'Welke bloemen waren het, Herr Hofrat?'

'Rozemarijn, wijnruit en wilgenkatjes. Hier heb je nog wat detailfoto's van de bloemen in glas.'

'Rozemarijn symboliseert herinnering, wijnruit verdriet en wroeging. En de wilgenkatjes?'

De Hofrat pakte het boek weer op en las: 'Over de sloot buigt zich een wilgenboom. *Hamlet*, hoofdstuk vier, scène zeven, vers honderdzevenenzestig. De wilg is het symbool van de verstoten liefde.'

Ze zwegen allebei.

'Elisabeth, ik heb je advies als kunstkenner nodig.'

Daarom heb je me hier niet naartoe gehaald, dacht Elisabeth. In Wenen zijn er meer ervaren en betere kunstkenners dan ik. Wat wil je écht van mij, Herr Hofrat?

'Aan welke kunstenaar doet dit tafereel je denken?'

Elisabeth aarzelde geen moment.

'Millais.'

De Hofrat haalde opgelucht adem.

'Dacht ik ook maar ik wist het niet zeker. Een ongelofelijk meesterwerk, die *Ophelia* van Millais, vind je ook niet?'

Elisabeth knikte. Weer zo'n man die in extase raakte van beelden van slapende of drijvende vrouwen, meisjes of sirenes. Het is de passiviteit die hen lokt, de illusie van volledige overgave.

'Deze moord is een obscene parodie op een van de grootste meesterwerken en dit bevestigt alleen maar de bevindingen van professor Haberda: wat een grootheidswaanzin!' zei de Hofrat.

Hij schoof nu ongemakkelijk op zijn stoel.

'Goed, nu komen we tot de kern van de zaak. In ieder geval wat jou betreft, Elisabeth.'

'De waarheid.'

'De vele soorten waarheid en hoe daarmee om te springen.'

Hou het kort, dacht Elisabeth.

'Bij mijn moordonderzoek op professor Von Graff zijn we op een aantal gruwelijke feiten gestoten, die we voorlopig voor het publiek geheim houden.'

'Over welke feiten hebt u het, Herr Hofrat?'

'We weten niet zeker of we met een moordenaar dan wel met een seriemoordenaar te maken hebben, Elisabeth.'

'In de extra editie van het *Neue Wiener Tagblatt* had Füchsl het over een seriemoordenaar.'

'Pure speculatie. Je weet hoe dat gaat, Elisabeth: journalisten vangen iets op en fabuleren er een sensationeel verhaal rond dat goed verkoopt, niets meer met de feiten te maken heeft en het onderzoek alleen maar bemoeilijkt.'

'Füchsl staat er nochtans om bekend dat hij niet licht iets beweert.'

'Hij beschermt zijn bronnen.'

De Hofrat balde ongewild zijn vuist.

'En als de kunstenaar-lustmoordenaar nu eens zélf naar de pers heeft gelekt? Hij heeft de ambitie om een beroemd kunstenaar te worden volgens professor Haberda.'

De Hofrat dacht na. Hij vond het jammer dat hij Elisabeth niet officieel kon inschakelen. Ze was verstandig, even rationeel als haar vader, wierp een ongewoon licht op het moordonderzoek, maar was betrokken partij. Haar openlijke medewerking kon en mocht hij zich niet veroorloven.

'Zeer twijfelachtig.'

Hij nipte van zijn koude espresso.

'Ik begrijp je ongeduld, Elisabeth, maar het is van het allergrootste belang dat we, voordat we verder gaan, de juiste afspraken maken. Ik wil niet – en ik weet zeker dat je vader dit ook nooit gewild zou hebben – dat de naam Von Thurn onnodig in de pers komt.'

'We zijn altijd discreet geweest, Herr Hofrat.'

'Ik heb je zo snel mogelijk hiernaartoe laten komen omdat ik de feiten slechts korte tijd geheim kan houden. Hoe goed je zoiets ook binnenkamers houdt, het journaille weet met geld altijd wel een lek te forceren.'

Elisabeth begreep nog altijd niet over welke feiten de Hofrat het had en wat die met haar familie te maken konden hebben. Hij draait rond de hete brij. Het moet iets vreselijks zijn. Staal je, sprak ze zichzelf moed toe.

'Mijn familie hoeft zich nergens voor te schamen', zei Elisabeth.

De Hofrat keek haar aan.

'Zie het dan als een vriendendienst, Elisabeth. Of als een daad van patriottisme: als wederdienst voor de gevaarlijke en geheime missies die je vader voor Zijne Majesteit de Keizer heeft ondernomen. Ik kan de Von Thurns nog een extra week geheimhouding garanderen. Daarna is de kans groot dat de honden van de rioolpers bloed ruiken en zich binnen afzienbare tijd op de familie storten.'

'Een week om wat te doen, Herr Hofrat?'

'Een week om een moord te onderzoeken. Op eigen verantwoordelijkheid.'

Elisabeth voelde haar zwetende handen in haar zwarte handschoenen plakken.

'Die te maken heeft met onze familie?'

'Meer kan ik echt niet doen, Elisabeth. Ik loop zware risico's door bepaalde feiten nog een week te verzwijgen, daarom wil ik ook absolute discretie. Mochten ze ontdekken dat je een onderzoek voert of hebt gevoerd, dan zal ik formeel ontkennen dat zoiets in mijn opdracht gebeurde.'

De Hofrat zag haar aarzelen.

'Het spreekt voor zich dat ik je inlicht als er een belangrijke doorbraak in het moordonderzoek van Von Graff is.'

'U mag rekenen op mijn discretie, Herr Hofrat. Namens mijn familie ben ik u bijzonder erkentelijk en ik besef maar al te goed welke grote risico's u loopt door me in te schakelen.'

Elisabeth liet haar stem zo neutraal mogelijk klinken.

'Ik ben fin de carrière, Elisabeth, en kan me dus wat meer vrijheid veroorloven.'

'Mag ik u vragen om nog twee dagen extra aan de week toe te voegen? Op zaterdag en zondag zijn de diensten van het ministerie toch gesloten. Kan ik uitstel krijgen tot maandag 17 maart?'

'Je bent een prima onderhandelaar, Elisabeth, zoals je vader. Goed, laten we zo afspreken: pas op maandagmorgen 17 maart trek ik het onderzoek helemaal open.'

Elisabeth zag dat de Hofrat haar blik ontweek. In de loop van het gesprek hadden zijn ogen onrustig over het bureau gedwaald. Ze stopten steeds bij hetzelfde punt: bij een bruine enveloppe, die hij na het openen van de map binnen handbereik had gelegd. Daar liggen de feiten, dacht ze, daar ligt de onheilsboodschap. Ze hoorde de Hofrat diep inademen. Zijn licht bevende handen werden naar de enveloppe gezogen en haalden de foto's er voorzichtig uit. Hij legde ze voor zich, op een stapeltje, met de rug naar boven.

Liggend meisje, las ze op de achterkant van de bovenste foto.

Ze slikte.

'Acht', zei hij. 'Het zijn er acht.'

Elisabeth zweeg.

'Acht dode meisjes.'

Elisabeths hart bonsde in haar keel.

'Welke leeftijd?'

'Acht tot tien jaar. Prepuberaal.'

Er lag een sarcastische opmerking over het woord 'prepuberaal' op haar lippen, maar een golf van misselijkheid veegde die weg. Ze zag de dunne mond van de Hofrat vreemde bewegingen maken en het was net alsof de los over zijn schedel gedrapeerde huid door een onzichtbare hand werd bijeengefrommeld.

'Elisabeth, alles goed?'

'Het lukt wel, Herr Hofrat.'

De Hofrat keek bezorgd. Het zou nog erger worden.

'Een glas water?'

'Whisky graag.'

Elisabeth nam een zilveren etui uit haar handtas en stak een cigarillo tussen haar lippen.

'U neemt het me toch niet kwalijk dat ik rook, Herr Hofrat?'

'Nee, absoluut niet, Elisabeth. Ga alsjeblieft je gang; ík had jou een cigarillo moeten aanbieden.'

De wederzijdse courtoisie en beleefdheidsrituelen gaven hun wat respijt voor wat komen ging. Ze wisten dat ze samen de duisternis in zouden gaan maar klampten zich nog even vast aan dit rottende wrakhout uit hun geciviliseerde kringen.

Elisabeth stak haar cigarillo op, inhaleerde diep, sloot even haar ogen en liet de rook in schokjes tussen haar lippen ontsnappen.

'Gaat u verder, Herr Hofrat.'

'Goed. Deze acht foto's ...'

'Mag ik de foto's van de meisjes zien?'

'Ben je daar zeker van, Elisabeth?'

'Is er een andere keus, Herr Hofrat?'

Elisabeth las de droefheid in zijn ogen, nam de eerste foto van het stapeltje en las meteen op de achterkant van de tweede foto: *Slapend meisje.*

De Hofrat begon te ratelen: 'Dit is de foto van het eerste meisje in de rij van acht. De foto's stonden genummerd rond het lijk van Von Graff. We hebben totaal geen idee waarom ze rond het lijk van Von Graff zijn gezet. Alleen van het meisje op de laatste foto kennen we met zekerheid de identiteit. Op het eerste gezicht is het net of ze slapen maar ze zijn allemaal dood. Misschien wel vermoord, maar daar hebben we geen bewijzen voor. Nog niet.'

Elisabeth bekeek het meisje met gekruiste armen dat met een veel te wijs gezicht voor haar leeftijd naar de hemel staarde. Ze voelde het zweet nu in straaltjes over haar rug lopen.

'Wat moet ik zien, Herr Hofrat?'

De rouwranden aan de nagels van het meisje en de grote, wat uitstaande oren ontroerden haar.

'Ik weet het niet, Elisabeth. Iets met de houding. Op de een of andere manier komt die me vreemd bekend voor.'

Ze duwde de opkomende paniek weg en nam de tweede foto. Waar had ze dit meisje nog gezien? Ineens zág ze de verrassende hoek van waaruit de foto genomen was, de vreemde knik in de armen van het meisje, de bewuste asymmetrie: een kous half afgestroopt, de andere niet. Schiele! De kunstenaar-lustmoordenaar imiteerde Egon Schiele en het meisje had ze bij Egon, bij wie het altijd een zoete inval van dakloze kinderen was, op de divan zien slapen.

'Ik zie niets, Herr Hofrat. Ik zie geen verbanden.'

Ze nam de derde foto. Er was geen twijfel mogelijk, de

kunstenaar-lustmoordenaar imiteerde haar lievelings-schilder. Ze voelde hoe de Hofrat haar observeerde en het was net of ze de drie camera's hoorde klikken: 'profiel links', 'profiel rechts', 'frontaal'. Ze sloot haar ogen. Laat de Hofrat maar in de waan dat ik even moet bekomen van de confrontatie met de lijkjes, dacht ze. Egon Schiele, waarom Egon Schiele? De Hofrat zal zich ongetwijfeld nog herinneren dat ik in april 1912 bij hem gepleit heb voor een snelle vrijlating van Egon en hij weet ongetwijfeld nog hoezeer ik Schiele waardeer. Hij houdt van Millais en dan is het vrijwel uitgesloten dat hij mijn liefde voor Schiele deelt. Hoe goed kent hij de werken van Schiele eigenlijk? Zoals de doorsnee-Wener: veel over gehoord, weinig van gezien? Ik waag de gok, besloot ze. Ik leid hem niet naar Schiele. Geen politieondervragingen meer voor Schiele, het is genoeg geweest.

Elisabeth opende haar ogen.

'Het is zoals u zegt, Herr Hofrat, hun gezichtjes zijn zo vredig. Alsof ze slapen.'

Ze nam de vierde foto, de vijfde, de zesde. Allemaal perverse kopieën van Schieles schilderijen.

De Hofrat, die doodstil haar reacties registreerde, maakte een minuscule beweging voordat ze de zevende foto opnam.

Hier wacht hij op, dacht Elisabeth. Mijn reactie op deze foto zal doorslaggevend zijn.

Ze nam de zevende foto en schrok. Christina. Elisabeth herkende haar meteen, Christina von Liebenfeld, het 'ver-dronken' vriendinnetje van haar overleden petekind Lu-cretia.

Deze naam kan ik wel prijsgeven, dacht ze. De Hofrat

vermoedt wie ze is en wil dat ik zijn vermoeden bevestig. Meteen doe ik alsof ik zijn belangen in het moordonderzoek dien.

'Christina von Liebenfeld', fluisterde ze.

De schouders van de Hofrat ontspanden zich.

Elisabeth vocht tegen haar tranen.

'Elisabeth, als het echt niet meer gaat, stoppen we.'

In de stem van de Hofrat hoorde ze dat het ergste nog moest komen.

Ze zei: 'Een slapende engel.'

De Hofrat wendde zijn blik af en legde zijn hand op de achterkant van de laatste foto. Elisabeth had al gelezen wat erop stond: *Meisje in het wit.* Ze stak haar hand uit en de Hofrat gaf haar de foto. Ze wist het voor ze het zag. Lucretia, haar petekindje. Niet ongelukkig van de trap gevallen, geen zelfmoord gepleegd, wist ze nu, maar vermoord.

DRIE

Het was 8 maart 1914, kwart voor zes en de sterren stonden strak in de zwartblauwe hemel. Ignatz hield ervan om 's zaterdags, heel vroeg, naar de Naschmarkt te gaan. In de verte zag hij de walmende vuurkorven. Hij zette zijn kraag op tegen de snijdende wind, die vrij spel had rond het Secession-gebouw, de 'gouden bloemkool' of 'het Assyrisch toilet' zoals de Weners het prachtige jugendstilgebouw spottend betitelden. In het schijnsel van de straatlantaarns leek de gouden koepel van laurierbladen een vlak van vreemde, gouden ijsbloemen, gekarteld, gekroesd en verstijfd door de ijzige wind. Ignatz trok zijn zwarte leren jas wat dichter om zich heen. Hij sloeg de oorlappen van zijn bontmuts naar beneden om de schelle stemmen van de krantenjongens, die om 't hardst sensationele koppen uitbraakten, te dempen. Hij passeerde een reclamezuil, waarop een weinig flatterende foto van zijn ex-professor was aangeplakt. Hoewel hij zich had voorgenomen geen acht meer te slaan op de schandelijke commentaren in de sensatiepers, haakten zijn ogen zich aan de schreeuwerige tekst onder de foto:

Wie was de echte professor Von Graff? Het *Illustrierte Wiener Extrablatt* zocht het voor u uit. Morgen, in een exclusieve editie van het *Illustrierte Wiener Extrablatt*: de waarheid over professor Von Graff.

Aasgieren, dacht Ignatz en hij haastte zich naar de Naschmarkt. Daar wandelde hij voorbij de delicatessen, voorbij de schalen met gerookte vis, verse salades en veelkleurige toastjes, voorbij de wijn, voorbij de bloemen tot bij de groenten en het fruit van de keuterboeren. Prei moest hij hebben, om straks preisoep met zure room te maken voor Elisabeth, die vanavond op bezoek kwam. Hij weerstond de verleiding om nog wat in de boekenstalletjes te snuisteren en sloeg meteen rechts af, langs het Majolikahaus van Otto Wagner. Naar huis, naar de Judengasse, waar de patiënten wachtten.

*

'Ik leefde in het paradijs en ik wist het niet.'

Bérénice had haar rijglaarsjes uitgeschopt en haar armen rond haar opgetrokken knieën gelegd.

'Verwend was ik, beschermd, papa's kleine meisje.'

Ignatz registreerde een droeve glimlach rond haar lippen.

'Het is 1910 en een van de eerste warme zomeravonden in Adlerkosteletz. Ik lig onder de kerselaar aan de rand van de zwanenvijver te lezen, Rainer Maria Rilke als ik me niet vergis, en voel het gras stilaan vochtig worden. Ik hoor de Japanse nachtegaal en kijk op. In de verte zie ik papa en mama de kasteeltrap afdalen, arm in arm, dat is lang geleden. Ik sla de poëziebundel dicht en loop naar hen toe. Wat is mama mager geworden, denk ik en ik zie hoe papa bezorgd haar stola van vossenbont om haar schouder schikt. Ik ren naar hen toe en papa vangt me op in zijn armen. "Niet zo hevig, kleintje, mama is ziek." Ik kijk naar mama en zie haar doorzichtig porseleinen glimlach. "Mama gaat dood, mijn lieve meid", hoor ik haar zeggen. Ik geloof haar niet en klamp me aan haar vast. Een paar seconden lijken we aan elkaar gekluisterd. Dan stoot ze me zachtjes van zich af. "Wat krijgen we nu, gekke meid, het gebeurt vandaag niet, hoor." Ze kijkt op naar papa en glimlacht naar hem. Hij kijkt naar haar en ziet alleen haar. Vanaf toen is alles veranderd.'

'Je was zestien.'

'Net zestien.'

Ze zweeg, staarde voor zich uit, nam een blonde haarlok tussen haar vingers en zoog erop. Ignatz haalde zijn horloge boven. Ze hadden nog meer dan een half uur.

'Goed, Bérénice, volgende keer werken we verder aan je levensgeschiedenis. Ik denk dat we nu kunnen overgaan naar je huiswerk.'

Ze zuchtte.

'Waar zal ik beginnen?' vroeg ze.

'Bij het ergste.'

'Mijn vader.'

'Wat gebeurde er met je vader?'

Ze schommelde zachtjes in de leunstoel. Ze rilde. Ignatz stond op, nam een deken en vleide die voorzichtig over haar schouders. Hij wachtte.

'Ik heb iets vreselijks gedaan.'

Ze wilde opstaan maar hij hield haar tegen.

'Niet vluchten nu. Dit is belangrijk.'

Ze keek hem met vochtige ogen aan en opende hulpeloos haar mond.

'Ik heb mijn vader vermoord.'

Ignatz hoorde buiten een lijster zingen.

'Hoe?'

'Ik heb zijn hoofd afgehakt.'

Het gezang stokte en even wilde hij met de lijster mee de avondhemel in vliegen.

'En het ergste,' haar stem gleed uit, 'het ergste van alles was dat ik het prettig vond.'

Ignatz keek op en heel even meende hij een vreemd licht op te vangen in de ogen van Bérénice Kinsky, zijn laatste patiënte van de dag. Een glimp van fascinatie, niet van verdriet. Hij had haar in de vorige sessie gevraagd om, zoals in de geestelijke oefeningen, haar favoriete bijbelverhaal uit te kiezen en zich in te leven in het personage dat haar het meest aansprak. Bérénice had getwijfeld tussen Judith en Salome maar had uiteindelijk voor Judith gekozen. Judith, die haar volk redde door Holofernes, de opperbevelhebber van het vijandige leger, te verleiden en daarna te onthoofden. Een vreselijk verhaal vond Ignatz, oudtestamentisch, nationalistisch, maar in de rol van psychotherapeut kon hij zich geen oordeel over haar keuze veroorloven.

'Je hebt je in Judith verplaatst en Holofernes verleid en vermoord.'

'Eerst was het Holofernes maar ineens werd het mijn vader.'

'Wanneer werd het je vader?'

'Toen ik hem moest vermoorden.'

'En je vond het prettig.'

'Meer nog, ik heb ervan genoten.'

Als een verschrikt vogeltje keek ze naar hem op. Ze drukte haar tengere lijfje nog dieper in de kussens en barstte in snikken uit.

Ignatz sloot zijn ogen en wist dat hij het verkeerd had aangepakt. Te snel, te ongeduldig, Bérénice was er nog niet klaar voor. Hij had haar weerbaarheid overschat, maar tegelijkertijd wist hij van zichzelf dat hij nu extra kwetsbaar was omdat hij haar wilde beschermen. Zijn oude kwaal. En toch kon hij zich niet van de indruk ontdoen dat ze toneelspeelde. Het leek alsof ze het gedrag dat bij diepe emoties hoorde meesterlijk imiteerde, maar die emoties zelf niet voelde. Of kreeg hij die indruk omdat ze zich met een masker voor de diepe pijn en het verdriet afschermde, zoals Von Graff had gesuggereerd? Hij gaf haar een schone zakdoek en ging aan zijn schrijftafel zitten. Het dossier van Bérénice Kinsky lag voor hem open en hij noteerde: 'Juni 1910, uitdrijving uit het paradijs. Rivaliteit met doodzieke moeder om exclusieve aandacht van vader. Kiest voor Judith.'

Het snikken was opgehouden en Ignatz kwam weer tegenover Bérénice zitten.

'Waarom Judith, Bérénice?'

Zijn stem was zacht en vol medeleven.

'Omdat ze zo sterk is en ik zo zwak. Omdat ze moedig is.'

Ignatz zweeg. Hij zag hoe ze naar haar gouden halskruisje tastte; een erfstuk van haar moeders kant, had ze hem in de eerste sessie verteld.

'Omdat ze baas is over haar eigen leven, omdat ze keuzes maakt, ook al kunnen die haar dood betekenen …'

Bérénice beet op haar onderlip alsof ze spijt had van de laatste woorden.

'Ik ben zo bang, dokter. Zo verschrikkelijk bang.'

*

Net toen Elisabeth von Thurn wilde aanbellen, ging de voordeur open en stapte een kokette vrouw naar buiten. Ze taxeerden elkaar, herkenden elkaars afkomst aan de vanzelfsprekendheid waarmee ze ruimte innamen en wisten meteen dat ze het nooit met elkaar zouden kunnen vinden. De jongedame liet haar blik rusten op het pak dat Elisabeth bij zich had, glimlachte raadselachtig en monsterde Elisabeth met koude ogen. De glimlach in het dode gelaat van de jonge vrouw maakte herinneringen bij Elisabeth wakker. Maar voordat ze had kunnen ontdekken welke, hoorde ze iemand op de tweede verdieping een deur dichtslaan en de trap afstormen. Ksaveri, glimlachte ze. Toen hij Elisabeth zag, stopte hij zijn vaart, liet zijn hand even op haar schouder rusten, zwaaide met een briefje en zei: 'Ze heeft haar huiswerk vergeten. Ze vergat de tekst van Gracián.'

Ignatz gaf haar de sleutel.

'Ga alvast naar binnen. Ik kom zo.'

Het amuseerde Elisabeth hoe Ignatz overal Baltasar Gracián bij betrok. Zelfs in zijn therapiesessies deed hij een beroep op de wijze raad van de eigenzinnige zeventiende-eeuwse jezuïet. Ze opende de deur van zijn appartement en rook de geur van gezelligheid. Ze hing haar jas van sabelbont aan de kapstok, legde haar pelsmuts naast die van Ignatz, pakte het schilderij van Schiele uit en zette het tegen de muur. Ze zag de gouache die aan de muur hing: *Strijder*, een Schiele die zinderde van ingehouden energie en vergeleek die met de gouache die ze zelf had meegebracht: *De Danser*, zijn dubbelganger. Even groot, even expressief maar zachter, meer waterverf. Ze zag hoe perfect ze bij elkaar pasten.

'Yin en yang.'

Ze had Ignatz niet horen binnenkomen.

'Vrouwelijk en mannelijk', antwoordde ze zonder zich om te draaien.

'Subliem.'

Samen bewonderden ze de twee meesterwerken.

'Wat spreekt je zo aan in Schieles werk, Ksaveri?'

Ignatz hield van de manier waarop Elisabeth zijn voornaam uitsprak; alsof ze elkaar al eeuwen kenden en elkaar alles konden zeggen. Hij zocht naar de juiste woorden.

'Omdat Schiele erin slaagt het schijnbaar onverzoenlijke – het mooie en het lelijke, het perverse en het sacrale – met elkaar te verenigen.'

Hij aarzelde even en Elisabeth sloot haar ogen. Ze wilde dit moment voor altijd bewaren: hoe gelijkgestemd waren hun zielen.

'Omdat hij alles voor zijn kunst overheeft. Omdat hij, onbevangen als een kind, altijd naar waarheid zoekt, ook al spuwt heel Wenen hem daarvoor uit.'

Elisabeth voelde zijn warmte in haar rug en verroerde zich niet. Na een tijdje verbrak ze de betovering.

'Er hoort nog iets bij', zei ze en ze haalde een crèmekleurige enveloppe uit haar jaszak.

'Elisabeth toch.'

51

'Hou je dan niet van *De Danser*?'

'Jawel, maar ...'

'Schrik om bij mij in het krijt te staan?'

Ze lachte omdat ze maar al te goed wist hoe moeilijk ze het zelf vond om iets te krijgen. Ignatz opende de enveloppe en las:

Als de man puur is en zijn handelwijze God bevalt, dan is hij weer verenigd met het vrouwelijke deel van zijn ziel, zoals het voor zijn geboorte was.

'Dat heb ik geplukt uit de kabbala, het boek *Zohar*', zei Elisabeth. '"Zohar" betekent "lichtglans", "schittering".'

Jij bent mijn Zohar, dacht Ignatz.

'Ik put kracht uit de kabbala. Wat Gracián voor jou is, is de kabbala voor mij.'

Hij knikte. Ignatz wist van de verboden kennis in het boek maar voor de buitenwereld zou hij dat altijd ontkennen.

'Ik heb ook iets voor jou, Elisabeth. Iets helemaal anders, niet verheven, zeer aards.'

Elisabeth keek hem plagend aan en tot haar verrassing bloosde hij.

'Preisoep met zure room.'

Ignatz had de twee zilveren kandelaars van zijn groottante Anastasia al op de tafel gezet. Terwijl hij de kaarsen aanstak, dacht hij aan haar. Wat zou ze dit fantastisch gevonden hebben: hij, alleen, met een dame in zijn kamer. De dame die hij liefhad nog wel.

Ignatz schoof de stoel van Elisabeth aan en raakte daarbij ongewild de zachte zijde van haar ijsblauwe bloes. Het

vleugje parfum dat eruit opsteeg trok hem onweerstaan-
baar naar haar melkwitte nek, die zich ontroerend mooi
aftekende tegen haar opgestoken zwarte haar.

Gewond ben ik van liefde, citeerde hij in gedachten een
vers uit het Hooglied.

Elisabeth, die zijn warme adem langs haar oorbel voelde strijken, bleef doodstil zitten. Ignatz rukte zich met
moeite los.

'De peterselie!'

Elisabeth glimlachte.

Ze genoten van de soep.

'Je lievelingssoep?'

'Tot nu toe wel, ja.'

Elisabeth dacht: altijd een vluchtweg, die Ksaveri, ook
daarin leken ze op elkaar. Ze vroeg zich af of ze hem in
vertrouwen zou nemen. Haar getrainde spionnenverstand
zei nee, haar hart zei ja.

Het hoofdgerecht, een melklammetje dat smolt op de
tong, verdiende eerst hun volle aandacht. Hij heeft er
werk van gemaakt, dacht ze en pas na een tijd verbrak ze
de aangename stilte.

'Een streling voor de tong', zei ze.

Ignatz keek blij verrast op.

'Dat getuigt, geef het toe, Ksaveri, van een goede smaak
en van verfijning.'

Ignatz zei: 'Maxime 87: Natuurlijke elegantie is de huid
van de ziel die de vrucht van talenten omhult.'

Een perfecte vluchtheuvel, dacht ze en ze vroeg: 'Ken
je alle driehonderd maximes van Baltasar Gracián uit je
hoofd?'

'Helaas niet. Maar ooit lukt het me wel. Nog wat saus?'

Elisabeth knikte. Zo gauw ze beseft had hoe belangrijk Gracián voor Ksaveri was, had ze zich *Het Handorakel* van Gracián, een bundeling aforismen, in de vertaling van Schopenhauer, aangeschaft.

'Wat boeit je zo in Baltasar Gracián?' vroeg ze.

Ignatz dacht na.

'Zijn obscure wijsheid. De gelaagdheid in zijn denken. Zijn koppige streven naar meer menselijkheid, ondanks zijn wanhoop over de ware aard van de mens.'

'Hij heeft er inderdaad geen hoge dunk van', zei Elisabeth.

'Hij heeft veel gezien.'

Ignatz nam haar bord en zette dat op het zijne.

'Binnen én buiten de jezuïetenorde.'

'En toch is hij integer gebleven', zei Elisabeth.

Ze ruimden samen de tafel af en toen Ignatz een Château Lafite Rothschild uit 1870 ontkurkte, wist ze dat het moment aangebroken was om voor één keer haar hart voorrang te geven op haar verstand.

'Die laatste patiënte van je.'

'Bérénice?'

'Die je achternazat met teksten van Gracián.'

'Ieder heeft zo zijn methodes', lachte Ignatz.

'Er was iets vreemds met haar.'

'Ik trek vreemde vrouwen aan.'

'Bedankt voor het compliment, Ksaveri.'

Het was zo gemakkelijk om de conversatie luchtig en speels te houden, dacht ze, zo risicoloos.

Het was alsof Ignatz haar gedachten las want hij schakelde moeiteloos over: 'Ze is bang.'

Even was het stil.

'Zijn we niet allemaal op de een of andere manier bang, Ksaveri?'

Hun blikken haakten in elkaar, geen van beiden durfde zich als eerste te openen.

Elisabeth hief het glas en klonk.

'Op de moed.'

'Op de moed en het vertrouwen.'

Ze nestelden zich dieper in de fauteuils en namen de tijd om van de godendrank te genieten. Vanaf het begin van de avond had Ignatz gevoeld dat Elisabeth uit haar gewone doen was. Iets bezwaarde haar, maar hij durfde niets te vragen omdat hij wist dat ze zich dan sloot als een oester. Toch wilde hij de vraag niet langer uit de weg gaan.

'Wat houdt je bezig, Elisabeth?'

De bezorgde frons in zijn voorhoofd en zijn zachte, warme stem hielpen haar de sprong te nemen.

'Lucretia, mijn petekindje.'

Elisabeth wendde haar blik af en staarde in het haardvuur. Het kostte haar nog altijd moeite om haar naam uit te spreken. Ignatz zweeg. Monotoner ging Elisabeth verder: 'Tien jaar was ze toen ze door Mary Dobrzensky, een vriendin van me, aan de voet van de trap gevonden werd. Ik was op reis in Londen en de gouvernante was er niet. Uit de autopsie bleek dat ze, toen Mary haar vond, al een paar uur dood was.'

Elisabeth had het nog nooit over Lucretia gehad en Ignatz zag hoeveel moeite het haar kostte.

'Iedereen dacht aan een ongeluk.'

Onder Elisabeths zakelijke mededeling voelde hij een

groot verwijt smeulen en hij vroeg zich af of dat gericht was tegen de gouvernante, die Lucretia de hele namiddag alleen had gelaten, of tegen haarzelf, omdat ze er die fatale namiddag niet was.

Elisabeth staarde voor zich uit. Ze hadden getoost op de moed en het vertrouwen, maar hoever zou ze hem in vertrouwen nemen?

'Dacht jij aan iets anders, Elisabeth?'

'Toen niet, Ksaveri.'

Ze zei het zachtjes, alsof ze hem smeekte niet door te vragen.

Elisabeth dronk het laatste restje van haar wijn in één teug op en wreef met een natte vinger over de rand van het wijnglas tot ze het hoge, snerpende geluid hoorde.

'Ik heb haar in de steek gelaten.'

Ignatz kwam dichter bij haar zitten en legde zacht zijn hand op haar arm. Elisabeth zorgde dat hij niet zag hoezeer dit gebaar haar ontroerde.

'Ze is vermoord, Ksaveri. Op 15 januari 1912, in de late namiddag, is ze vermoord.'

Elisabeth stond op en ging naar het raam. Haar ogen vulden zich met tranen en ze zag de verlaten Jerusalem-stiege langzaam wazig worden. Ignatz vroeg niet verder en het liefste wat hij had willen doen was zijn armen rond haar slaan en haar troosten, maar hij legde nog een houtblok in het laaiende haardvuur. Hij pookte in het hellerood en hoe meer hij de vonken deed opvliegen, hoe bozer hij werd. Boos op de beesten buiten, die, meedogenloos als roofdieren, kinderen folterden en vermoordden. Boos op de hypocriete maatschappij, die dit alles maar liet begaan. Ignatz vervloekte zichzelf omdat hij zich een jaar geleden, op zijn allereerste opdracht als geheim agent, toen hij als een bloedhond het spoor van kindermoordenaars had gevolgd, toch had laten terugroepen door zijn provinciaal overste Wolf. Had hij Wolf toen gehoorzaamd om een volgende opdracht veilig te stellen? Uit eigenbelang? Of was het omdat gehoorzaamheid in de Sociëteit zo hoog in het vaandel werd gedragen? Nochtans zei Ignatius van Loyola heel duidelijk dat het goedgevormde geweten altijd voorrang had op gehoorzaamheid aan de overste. Ignatz besefte dat hij toen de verkeerde beslissing had genomen.

Hij hing de pook weer aan de haak en keek naar Elisabeth, die nog altijd, in die typische houding van haar, handen losjes op de rug, voor het raam stond. Ze voelde zijn blik en draaide zich naar hem om. Ze gingen allebei weer zitten. Elisabeth zag hoe Ignatz in de wijnkurk kneep tot zijn knokkels er wit van werden. Ze schonk hun allebei nog wat wijn in.

'Van de kasteeltrap gevallen, zei de politie. Ik wilde het toen niet geloven. Ze dachten dat ik de banaliteit van haar dood niet wilde aanvaarden.'

Elisabeth plukte een denkbeeldig pluisje van haar rok.

'Elke nacht draaide ik de film van ons laatste samenzijn af om aanwijzingen voor haar dood te vinden. Het was Nieuwjaar. Mama, papa en mijn broer Arthur bleven na het feestmaal nog wat napraten in het salon. Lucretia en ik gingen liever een luchtje scheppen en we wandelden in de sneeuw. Ze was uitgelaten, helemaal niet suïcidaal en ze vroeg me of ik een geheim kon bewaren.'

Elisabeth pauzeerde even en Ignatz zag twee figuren in een besneeuwd landschap.

'Ze wilde spion worden, zei ze, net als ik en mijn vader. Ik vroeg haar waarom ze dacht dat wij spionnen waren. Ze zei dat haar papa – Arthur – dat had gezegd. Dat het in de familie zat en dat het geheim was. Je ziet het, Ksaveri, we lijden allemaal aan dezelfde familiekwaal: een heel grote verbeeldingskracht.'

Elisabeth dronk van haar wijn en Ignatz glimlachte.

'Ze zei dat ze al goed aan het oefenen was en iets op het spoor was. Dat ze binnenkort "resultaat zou boeken". Ik vond het zo grappig om die volwassen formulering uit een kindermond te horen dat ik in lachen uitbarstte en niet verder vroeg. We begonnen met sneeuwballen te gooien – altijd goed om de reflexen van een spion aan te scherpen – en het moment was voorbij. Hoe dikwijls heb ik me achteraf vervloekt omdat ik niet doorvroeg. Omdat ik haar de juiste woorden niet influisterde. Omdat ik haar niet tot voorzichtigheid en geduld maande. Ik had haar kunnen redden.'

Ignatz onderschepte Elisabeths blik, die duister was, en hij wist dat ze niet zou rusten voor ze de moordenaar te pakken had.

'Waarom denk je dat Lucretia vermoord is?'

'Hofrat Siegfried von Recht heeft me gisteren bij zich geroepen.'

'Hij leidt het onderzoek naar de moord op Von Graff.'

'Ja, hij heeft een foto van Lucretia bij het lijk van Von Graff gevonden.'

Ignatz keek haar niet-begrijpend aan.

'Rond het lijk van Von Graff stonden acht foto's van dode meisjes en op de achterkant van elke foto stond telkens de titel van een schilderij van Schiele.'

Elisabeth sloot haar ogen. Hoe zou ze ooit nog onbevangen naar die schilderijen kunnen kijken?

Ignatz stond op om het doosje met cigarillo's te halen en presenteerde haar er een.

'Op de achterkant van Lucretia's foto stond: *Meisje in het wit.*'

Ignatz gaf haar een vuurtje.

'Verwees hij enkel met de titel naar Schiele?'

'Meer dan dat. Het was een perfecte kopie van een van Schieles schilderijen.'

'Je bedoelt dat de moordenaar na Lucretia's dood rustig de tijd nam om ...'

Ignatz aarzelde.

'De foto's zijn gecreëerd door een zieke geest', zei Elisabeth.

'Weet de Hofrat van Schiele?'

'Ik heb gezwegen. Hij zit op een dood spoor.'

'En je hebt hem geen opening van zaken gegeven?'

'Het is altijd afwegen, Ksaveri. Je weet hoe simpel ze hier in Wenen denken en zéker de politie: die zien Schiele uitsluitend als schilder van pornografie. Trouwens, Haberda heeft de moordenaar van Von Graff een nieuwe diagnose toebedacht: de kunstenaar-lustmoordenaar. Als de politie ook maar vermoedt dat Schiele iets met de zaak te maken zou kunnen hebben, dan breekt de hel los.'

'Dan heeft de kunstenaar-lustmoordenaar zijn gratis tentoonstelling en krijgt hij internationale bekendheid.'

'Én wordt Schiele gelyncht, Ksaveri.'

'Waar de kunstenaar-lustmoordenaar misschien op aanstuurt.'

'Wie wil Schiele zijn vel?'

'Te veel kandidaten om op te noemen.'

'En waarom? Omdat hij schokkende beelden maakt? Omdat hij mensen een spiegel voorhoudt? Wraak? Jalousie de métier?'

'Gissingen.'

Ignatz en Elisabeth zwegen.

'Von Graffs ingewanden waren verwijderd en in de plaats ervan bloeiden er glazen bloemen in zijn buik.'

Ignatz staarde haar aan. Elisabeth zag hoe hij zijn afschuw en verdriet met een laag van professionaliteit afdekte.

'Geen Schiele bij de professor?'

'Nee, een kopie van *Ophelia* van John Everett Millais.'

Elisabeth zag dat de naam hem niets zei.

'Millais heeft waanzinnig veel succes met zijn schilderijen van verdronken nimfijnen.'

Hij hoorde haar sarcasme.

'Hun blonde haar waaiert zo mooi uit in het water. Hun gezichten zijn uiteraard niet opgezwollen maar van albast en hun kersrode lippen wachten om gekust te worden. Vaak houden ze ook nog een versgeplukt paars viooltje tussen hun vingers.'

'Ik zie het zo voor me: bekoorlijk, jong, ontvankelijk, ongerept, deinend in het vrouwelijke element bij uitstek: het water.'

Zijn scherpe kijk verraste haar niet.

'En de glazen bloemen?'

'Dat spoor heeft de Hofrat grondig onderzocht. Het is werk van de Blaschka's, maar de koper kunnen ze niet meer traceren.'

Ignatz ontkurkte de tweede fles Château Lafite.

'Er moet een verband zijn tussen Schiele, Millais, de meisjes, de kunstenaar-lustmoordenaar én Von Graff, maar ik zie het niet', zei Elisabeth. 'Jij kende Von Graff?'

'Kennen ... Hij was mijn professor seksuele pathologie,' Ignatz aarzelde even, 'en ik heb hem een paar uur voor zijn dood nog gesproken. Het spreekt voor zich dat ik de politie daarover niet heb ingelicht.'

Ignatz wist maar al te goed dat hij zich door die laatste toevoeging met Elisabeth verbond. In een fractie van een seconde, met de reflex van een samoerai, had hij die beslissing genomen.

'De politie nooit op ideeën brengen, dat is ook mijn devies.'

'Von Graff zag er verwaarloosd uit, niet gelukkig, de laatste keer dat ik hem zag.'

Weer twijfelde hij even, hij was het niet gewend om zich open te stellen.

'Elisabeth, ik heb hem niet gevraagd wat er aan de hand was.'

Pas nu drong niet alleen de omvang van die gemiste kans tot hem door maar vooral de spijt omdat hij zijn professor in de steek had gelaten.

Elisabeth legde haar hand op zijn arm.

'We maken allemaal fouten.'

Hij bleef voor zich uit staren en drukte de pijn weg door zich op de warmte van Elisabeths hand te concentreren.

'Mij heb je de vraag wél gesteld, Ksaveri. Je hebt me durven te vragen wat me bezighoudt.'

Ze aarzelde even.

'Lucretia was niet de enige die ik op de foto's heb herkend.'

De fluweelrode wijn glansde donker in de glazen.

'Ook haar beste vriendinnetje, Christina von Liebenfeld, stond op een foto.'

'Ook vermoord?'

'Lucretia weigerde te geloven dat ze verdronken was: Christina was een waterrat. Ze had gelijk.'

Elisabeth nipte van de wijn.

'Ik dacht dat Lucretia Christina's dood niet kon verwerken.'

Elisabeth zuchtte.

'Wanneer is Christina vermoord?'

'Op 10 augustus 1911. Het beest is dus al minstens twee jaar aan de gang. Dat wijst op iemand met een plan.'

'Zijn er nog meer aanwijzingen?'

Elisabeth knikte.

'Er was nóg een meisje dat ik heb herkend. Een straatkind dat ik in het atelier van Schiele heb gezien. Bij Schiele is het vaak de zoete inval, vooral in de winter, als de straatkinderen warmte zoeken.'

'Weet de Hofrat dat?'

'Bij Lucretia ging het om een identificatie. Bij Christina ook, vermoed ik. Maar over het derde meisje heb ik gezwegen.'

'Om hem niet naar Schiele te leiden.'

'Ach, in Wenen kraait geen haan naar straatkinderen die worden vermoord. Maar o wee als er kinderen van adel bij betrokken zijn, dan moet de onderste steen boven.'

'Alles leidt naar Schiele', zei Ignatz. 'Schiele was waarschijnlijk de voorlaatste die Von Graff heeft gezien.'

'Hoezo?'

'De dag dat ik Von Graff ontmoette, is hij vermoord. Na ons etentje had Von Graff college en daarna een afspraak met Schiele.'

'Thuis, bij Von Graff?'

'In het crematorium van de Frauenklinik. Schiele mocht er één keer per maand van Von Graff dode vrouwen en kinderen schilderen. Von Graff heeft me dit in vertrouwen verteld. Ik weet niet wie hiervan nog meer op de hoogte waren.'

'Wie het ook zijn: ze zullen zwijgen', zei Elisabeth.

'Ksaveri,' zei ze na enkele ogenblikken, 'kan een geest zo ziek zijn?'

Ignatz zweeg en wachtte af.

'Schiele ziet in alles de voorafspiegeling van de dood. Hij was pas veertien toen zijn vader stierf en dit verlies heeft hem diep getekend. Ook op de tekenschool bleek zijn fascinatie voor de dood. Hij was zestien toen hij de goegemeente tegen zich in het harnas joeg door het dode zoontje van de dorpsslager te tekenen. De tekenschool had hem daarop prompt de deur gewezen. Schieles motto was en is nog altijd: "Alles wat leeft, gaat dood."'

'Mijn god, Elisabeth, bedoel je dat de moordenaar Schieles fascinatie voor de dood deelt en daar op zijn manier vorm aan geeft?'

'Hij wedijvert al meer dan twee jaar met Schiele.'

Het werd stil in de kamer.

'Na zijn bezoek aan Schiele in de Frauenklinik had Von Graff nóg een afspraak, maar omdat ik zo gehaast was heb ik niet verder gevraagd. Bij mijn weten wist niemand anders van die afspraak. Von Graff ging immers dood van verdriet én eenzaamheid.'

'Kan jij achterhalen met wie hij die afspraak had? Zijn agenda en aantekeningen zullen wel in beslag zijn genomen, maar jij ziet misschien meer.'

'Een extra huiszoeking bedoel je. Ja, dat kan lonen.'

'Goed, dan reconstrueer ik zo nauwkeurig mogelijk de omstandigheden van de moord op Lucretia: haar laatste contacten, wat haar in die tijd bezighield … Ik vraag niet rond, dat zou alleen maar slapende honden wakker maken, ik herlees haar dagboeken. Door de nieuwe feiten valt er misschien een heel ander licht op bepaalde passages.'

'Dat zal zwaar worden, Elisabeth.'

'Ik wil de waarheid, Ksaveri.'

Elisabeth stond op en ging weer naar het raam. In de weerspiegeling van het glas zag ze het mooie, klassieke gelaat van Ignatz, dat kalmte en sereniteit uitstraalde. Schijn, wist ze uit eigen ervaring. Door jarenlange training en meditatie hadden ze allebei die ijzeren zelfdiscipline verworven, maar achter hun masker van kalmte en sereniteit verstopten zich nu woede en angst, die holle gangen in hun hersens vraten.

Ignatz kwam naast haar staan.

'De Hofrat heeft me een week gegeven voordat hij de zaak openbaar maakt en alles met naam en toenaam in de pers komt.'

Zijn arm raakte haar arm.

'We gaan er samen achteraan, Elisabeth.'

Elisabeth zag hun reflectie in het glas. Ze stonden schouder aan schouder.

Ze keken uit het raam, naar de Jerusalemstiege, die zich als een koude, natte slang uit de onderbuik van Wenen naar boven kronkelde.

VIER

Het was zondag 9 maart 1914 en Wenen lag doodstil onder het lijnwaad van de schrale middagzon. Alleen in
het Jodenkwartier gonsde het van bedrijvigheid. Door
de wirwar van straatjes en steegjes liep de negenjarige
Bubi naar meneer Apfelbaum, de schoenlapper van de
Judengasse. Ze had de opgelapte schoenen naar de juiste
klanten gebracht: de galoches naar meneer Winterstern,
de laarsjes naar de dames Liebermann en Silberstein en
de herenschoenen naar meneer Lindenbaum. Vooral meneer Lindenbaum was gul geweest. Van onder zijn bor-
stelige wenkbrauwen had hij haar bekeken, gegromd, met
tegenzin een muntstuk uit zijn jas gevist en haar daarna
de deur uit geduwd. Bubi's vingers sloten zich rond het
muntstuk. Meneer Lindenbaum was een correcte heer,
vond ze, ook al verstopte hij tussen zijn baardharen het
eigeel van zijn ochtendomelet. Maar haar favoriete klant
was toch meneer Ignatz. Ze keek even naar boven om te
zien of hij thuis was – dan stond het hoekraam op een
kier. Ja dus. Wat spijtig dat ze nu zo'n haast had, want
ze wilde hem zo graag bedanken voor het boekje dat hij

haar had gegeven en waarom ze zo had moeten huilen: *De arme muzikant* van Franz Grillparzer.

Als een kleurrijk vlekje wervelde Bubi tussen de eilanden van pratende en gesticulerende mannen in het zwart. Ze luisterde graag naar hun verhalen. Soms klonken hun stemmen hard en schel, dan weer klagend en hoog, maar af en toe kleurden ze donker en veranderden in gefluister als ze wat te dichtbij durfde te komen. Vaak ging ze, tussen haar taken door, naast Frau Gelb zitten om de voorbijgangers te kunnen afluisteren. Frau Gelb, die alles wist en alles zag, omdat ze, zo gauw de zon ook maar door de wolken piepte, haar Singer trapnaaimachine liet buitenzetten om er pontificaal achter plaats te nemen. Vandaag was het weer zover. In de voormiddag had Frau Gelb, ondanks de fletse zon en de lage temperatuur, bepaald dat het lente werd. Ze had twee dokwerkers ingehuurd om de houten estrade naast de voordeur van haar naaiatelier in elkaar te zetten en daarop haar Singer naaimachine te installeren. Goed ingepakt en tevreden overschouwde Frau Gelb nu, vanaf haar troon, de Judengasse. In de verte zag ze Bubi, die vrolijk naar haar zwaaide en zich verder haastte.

Bubi vond het jammer dat ze ook geen tijd had om even naast Frau Gelb te gaan zitten en haar te vertellen over *De arme muzikant* en haar rendez-vous met Mizzi. Te laat komen zou zonde zijn want Mizzi, haar vier jaar oudere vriendinnetje, had haar vandaag iets speciaals beloofd. Niet het gewone zondagsuitje naar de Volksprater, niet ongezien binnensluipen in het halfduister van de American Bar om daar Egyptische sigaretten te roken en ook niet stil kijken naar hoe die rare schilder Mizzi portretteerde. Nee, vandaag zou het heel anders zijn.

Het eerste licht van de lentezon schoof voorzichtig de kamer binnen en schrok van het harde, hautaine licht van de lichtpegels, hoog aan het plafond. Behoedzaam streek het neer op het nachtblauwe, ronde tapijt in het midden van de kamer en tastte verder, tot aan de zilveren cirkel die het tapijt omzoomde. Het reikte naar de zwarte Wiener Werkstätte-vitrinekast, waar het net niet bij kon en streelde de canapé waar een zwarte satijnen doek op lag geschikt. In de plooien nestelden zich donkere schaduwen, onbereikbaar voor het lentelicht.

Op de canapétafel, een stalen geraamte met een rug van glas, stond een lelie in een zwarte vaas. Het licht zocht verder en vond een bijzettafeltje met daarop een zilveren handspiegel en twee boeken: *Venus im Pelz* van Leopold von Sacher-Masoch en *Satan in Society* van Nicholas Francis Cooke. Het slingerde zich rond het warme mahoniehout van een statief en kuste vluchtig het oog van de grootformaatcamera. De glazen negatiefplaten, het schietkatoen en de bokalen van gekleurd glas, met daarin de geheime ingrediënten die straks de zwarte magie mogelijk zouden maken, liet het links liggen om snelsnel in de laatjes van de secretaire te kunnen gluren. Om te kunnen spelen met de afgebroken nagels, de gele tanden en de stukjes huid. Om te kunnen kroelen in de toefjes schaamhaar. Pech, alle laatjes waren op slot. Gelukkig lag *Het Grote Boek Van Uitgesteld Genot* open. Nieuwsgierig rekte het lentelicht zich uit. Wat was dat, naast het boek? Een verschrompelde paddenstoel? Voorzichtig likte het in de fijne spleetjes van het kleine ding waaraan een kaartje hing met daarop in sierlijke letters: 'Kahlenberg, 2 oktober 1911. Babyoortje.' In hetzelfde sierlijke handschrift stond bovenaan op een pagina in *Het Grote Boek Van Uitgesteld Genot*:

Zondag 9 maart 1914
Ineengestrengelde meisjes

Daaronder was het papier nog blank.

*

Zenuwachtig stonden Bubi en Mizzi op de hoek van de Lange Gasse en Maria Treu.

'Weet je zeker dat het daar is?'

Ze keken naar de façade schuin tegenover hen. Geen naamplaat, geen uithangbord, alleen het nummer.

'Kijk maar, 44.'

Mizzi gaf de uitnodiging aan Bubi en wees de laatste zin aan, die Bubi traag en goed articulerend, zoals Frau Gelb het haar had aangeleerd, voorlas: 'Gelieve zich samen te melden in de Lange Gasse 44, 8. Bezirk.'

'Zie je wel.'

Mizzi nam de lippenstift uit haar handtas, die ze in Bubi's handen propte. In het spiegelende glas van een uitstalraam stiftte ze haar lippen bij.

'Denk je dat het zoals bij de schilder zal gaan?'

'Poseren?'

Bubi knikte.

'Beter. Echter. Professioneler.'

Mizzi had het woord 'professioneler' ergens opgevangen en ze vond dat het goed klonk, ook al wist ze niet wat het precies betekende.

'Vind je het wel een goed idee dat ik meekom?'

'De uitnodiging zegt toch: "Kunstfotograaf zoekt twee jonge meisjes voor proefopname."'

'Jij hebt al geposeerd, ik nog nooit.'

'Bubi, er staat: "Toneelervaring niet nodig. Opleiding ter plaatse." Anders had ik je toch niet gevraagd.'

'Maar de fotograaf stopte jou de uitnodiging toe bij de schilder. Toen Mirabell en jij klaar waren met poseren.'

'Ja, en dan?'

'Misschien had de fotograaf liever Mirabell dan mij.'

'Onzin. Twee jonge meisjes zijn twee jonge meisjes.'

'Gaat het lang duren?'

'Korter dan bij Schiele. Al die houdingen, al die schetsen, altijd ietsje anders. En nóg lijkt het nergens naar.'

'Hij probeert ...'

'Het licht te vangen dat uit mijn lichaam komt. Jaja, ik ken zijn deuntje wel.'

'Hij heeft het zelf gezegd.'

'Schilderen is uit de mode. Film en fotografie, dáár zit toekomst in.'

Bubi keek weer naar de uitnodiging.

'"Doorgroeimogelijkheid" staat er, wat is dat eigenlijk, Mizzi?'

Met haar ringvinger verwijderde Mizzi een rood vlekje op haar tanden.

'Dat je filmster kan worden, dom kuiken, wat anders? Kom, geef me het spiegeltje.'

Bubi viste het zakspiegeltje uit de rommel in de handtas

en wachtte terwijl Mizzi haar rug rechtte en met kleine, kokette schokjes de oneffenheden in haar gezicht, die er niet waren, bestudeerde. Later, dacht Bubi, als ze filmster waren, zouden ze allebei aan een grote toilettafel zitten, zo eentje met drie spiegels waarin je jezelf oneindig vaak zag, en dan zouden ze naar elkaar knipogen omdat ze wisten dat ze aan hetzelfde dachten: aan vandaag, toen alles nog moest gebeuren.

'Ziezo, genoeg gekeken.'

Mizzi gooide de lippenstift en het zakspiegeltje in de handtas en legde haar arm over Bubi's schouders.

'Kom, het is tijd. De afspraak was om twee uur stipt.'

Ze staken de straat over en belden aan. Het gordijn op de tweede verdieping bewoog even en bijna gelijktijdig ging de voordeur open. Een magere heer in livrei nam hun jassen aan en leidde hen langs de majestueuze trappen naar de kamer op de eerste verdieping. Hij sprak geen woord, wees naar twee stoelen tegen de muur en verdween. Hij was nog maar net weg of Bubi stootte met haar elleboog in Mizzi's zij.

'Kijk, dezelfde zwarte kast als bij Schiele.'

Mizzi zag het ook en nieuwsgierig liepen ze naar vitrinekast.

'Wow! Dit is mooier dan wat Schiele heeft.'

De bloemen van glas schitterden in het lentelicht.

'En, wat vinden jullie ervan?'

De twee meisjes keken geschrokken om. Ze hadden niemand horen binnenkomen, maar de glimlach die bij de stem hoorde stelde hen gerust.

'Zeeanemonen, bloemdieren uit de Azoren.'

Bubi zuchtte. Nog nooit had ze zoiets moois gezien.

'Leven ze nog?'

De glimlach werd breder.

'Ze zijn het mooist als ze dood zijn, kleintje. Hoe heet je?'

'Bubi. En dit is mijn vriendin, Mizzi. Ze zei dat ik mocht meekomen.'

'Goed van Mizzi om je mee te nemen.'

De kunstfotograaf was blij om Mizzi te zien, het model dat voor het schilderij *Ineengestrengelde meisjes* van Schiele poseerde. Samen met een jonger ding dan het andere meisje dat voor Schieles schilderij poseerde, maar dat maakte het extra spannend. In gedachten zag de fotograaf haarscherp ieder detail van de verstrengeling van de twee meisjes in Schieles onafgewerkte schilderij en bracht al kleine, subtiele verbeteringen aan.

'Welkom in mijn fotoatelier, meisjes. Willen jullie iets drinken? Cacao?'

Mizzi knikte enthousiast; Bubi volgde.

'Dat dacht ik al. Herr Müller komt meteen.'

De woorden waren nog niet koud of Herr Müller kwam binnen en zette een zilveren dienblad met daarop twee dampende koppen cacao op de canapétafel.

'Je kunt gaan, Heinrich. Ik zorg wel voor de meisjes.'

De butler boog en verdween.

'Suiker?'

De fotograaf wachtte niet op het antwoord, nam een robijnrood karafje uit de kast, goot in elk van beide koppen een scheut laudanum en roerde langzaam in de beide koppen.

Vloeibare suiker, dacht Bubi, dat heb ik nog nooit gezien.

De fotograaf ging in het midden van de canapé zitten.

'Kom maar naast me zitten, meisjes, het is belangrijk om te ontspannen voordat ik foto's ga nemen.'

Bubi en Mizzi namen elk op een puntje van de canapé plaats. Mizzi reikte naar de cacao, maar een snelle hand hield haar tegen.

'Pas op, liefje, verbrand je niet.'

Even rustte de gehandschoende hand op Mizzi's blote arm en gleed toen zachtjes naar de binnenkant van haar pols.

'Dat zou zonde zijn van je mooie blanke huid.'

De kunstfotograaf bracht heel voorzichtig Mizzi's hand omhoog en kuste een voor een haar vingertoppen terwijl de slangenogen Mizzi's blik gevangenhielden. De honingzoete stem van de fotograaf vlijde zich tegen haar aan: 'Mooie ogen, hemelsblauw als de wateren van de Azoren. Weet je dat, lieve Mizzi.'

Bubi zag hoe Mizzi's vochtige lippen langzaam opengingen. De fotograaf, die nog steeds de hand van Mizzi vasthield, wendde zich nu tot Bubi.

'Vingertopjes om te zoenen, hè.'

'Om te fotograferen', antwoordde Bubi, die zich afvroeg wanneer de proefopname nu eindelijk zou beginnen.

De fotograaf stond grinnikend op.

'Ongeduldig, hè ... Of ben je jaloers?'

Bubi hield niet van de geur rond de fotograaf.

'Wacht er misschien iemand op jullie?'

Nu keek Bubi naar het tapijt. Niemand wachtte op hen. Zou zo'n fotograaf ook in je binnenste kunnen zien, vroeg ze zich af. Er de eenzaamheid en de stilte ontdekken, die zich vooral 's avonds in haar nestelde? Ze ging dichter bij

Mizzi zitten, legde haar hoofd tegen Mizzi's schouder en voelde haar warmte.

'Goed zo.'

De fotograaf kneep één oog dicht en keek door de denkbeeldige lens die de gehandschoende handen maakten.

'Mooi. Open nu heel voorzichtig het bovenste knoopje van je bloesje, Mizzi. Nee, niet zo snel, langzaam. En trek maar een pruilmondje, alsof je dit tegen je zin doet, dat zien de mensen graag.'

De fotograaf knielde nu voor de canapé.

Bubi voelde zich zenuwachtig worden. Het liefst had ze die fotograaf, die veel te dicht bij hen kwam, een schop in het gezicht gegeven, maar ze wist dat ze dan nooit meer met Mizzi mee zou mogen. Ze moest de fotograaf zo lang mogelijk aan de praat houden, dan zou er niets gebeuren.

'Wat zijn onze doorgroeimogelijkheden?' vroeg ze.

Mizzi keek Bubi verbluft aan en gebaarde dat ze haar mond moest houden.

De fotograaf negeerde haar vraag en maakte zelf, tergend langzaam, de volgende knoopjes van Mizzi's bloesje los.

'Zo mooi ben je, Mizzi. Zo rozig en vol leven.'

Mizzi voelde zich bij die woorden helemaal week worden. Onwillekeurig drukte ze haar borst tegen de hand van de fotograaf.

De fotograaf glimlachte, nam nu de hand van Bubi en legde die heel rustig op Mizzi's mooie meisjesborst.

Bubi werd knalrood.

'Houden zo.'

De fotograaf stond op, ging naar de hoek van de kamer

waar het fotoapparaat op het statief stond en keek door de lens.

Bubi keek recht voor zich uit, maar toen ze voelde hoe Mizzi's tepel zich onder haar hand oprichtte, sprong ze van de canapé.

De fotograaf keek verwonderd op en zei: 'Veel te braaf. We houden ermee op.'

'Nee!'

Mizzi was kwaad op zichzelf. Ze had slimmer moeten zijn en in plaats van Bubi Mirabell moeten meenemen. Ze liep naar Bubi.

'Wat is dat toch met je', siste ze. 'Je wilt volwassen zijn, maar gedraagt je als een kind.'

Het was de eerste keer dat Mizzi zo tegen haar uitvoer en de tranen brandden in haar ogen. Álles wilde ze doen voor Mizzi. Mizzi was haar grote voorbeeld. Hoe dom van haar om aan Mizzi te twijfelen. Mizzi had veel meer ervaring in dit soort dingen.

Mizzi zag hoe geschrokken Bubi was en verzachtte haar toon.

'Dit is onze kans, Bubi. Als we goed poseren, dan gaan we naar Amerika.'

De fotograaf knipoogde naar Mizzi en leidde hen weer naar de canapé.

'Hier, drink wat cacao, 't zou zonde zijn om hem koud te laten worden. Daarna beginnen we opnieuw. Jullie verdienen nog één kans.'

'Verknoei het nu niet', zei Mizzi nadat ze haar kop helemaal had leeggedronken. 'Denk aan ons tweetjes in Hollywood.'

Bubi nam maar een paar slokken van de cacao, die haar niet meer smaakte.

'Nog één kans en alleen maar omdat Mizzi zo'n natuurtalent is', zei de fotograaf.

Het woord 'natuurtalent' werkte als een magische formule. Mizzi zakte helemaal onderuit op de canapé en nam Bubi mee in haar armen. Als bij toeval schoof haar rokje daarbij naar boven waardoor haar bleke dijen kwetsbaar afstaken tegen de donkere kousen.

De fotograaf nam meteen weer achter het statief plaats.

'Mooi, dat contrast.'

Mizzi, aangemoedigd door die woorden, opende haar benen.

'Niet zo ver.'

De lens had nu vrij spel in de fluwelig zwarte schaduwen onder haar rokje.

'Kleed je uit', beval de fotograaf.

Bubi schrok.

'Niet jij, maar zij.'

De fotograaf nam het statief en kwam dichterbij.

Mizzi, die wist dat dit haar moment was, kwam overeind en plantte haar gelaarsde voet op de canapé. Een vreemd lachje krulde rond haar mondhoeken en Bubi zag hoe ze totaal tranformeerde.

Heel langzaam, alsof ze aan een slepend ritme gehoorzaamde, trok Mizzi haar rokje omhoog, knoopte de strik van haar kousenband los en liet het zijden lint met een sierlijk gebaar op het tapijt vallen. De andere kousenband trok ze nóg trager open en in plaats van die ook als een serpentine op het tapijt te laten glijden, trok ze het zijden lint tussen haar benen door en deed alsof ze er zachtjes op schommelde. Zo leek het Bubi in ieder geval.

Mizzi flirtte met de lens, maar al vlug wendde ze haar hoofd af en keek schuin naar omhoog. Met een langgerekte hals en 'en profil', zo zag ze er het verleidelijkst uit, wist ze. Ze liet het lint achteloos op het tapijt vallen. Mizzi stroopte haar rokje af en liet haar hand in haar onderbroekje verdwijnen. Bubi hoorde Mizzi sneller ademen en voelde ook bij zichzelf een warme opwinding. Wat kon Mizzi goed acteren, dacht ze.

Met gespeelde tegenzin haalde Mizzi haar hand uit haar kanten broekje om het bloesje over haar schouders te laten glijden. Heel traag, zoals ze net had geleerd, en met zorg zodat haar roodgelakte nagels mooi afstaken tegen haar blanke huid. Toen het bloesje naar beneden gleed, duwde Mizzi haar borsten nog eens extra omhoog.

Langzaam draaide ze zich met haar rug naar de camera. Bubi zag even de twee kuiltjes, onder aan Mizzi's rug. Zo mooi, dacht ze. Mizzi stak haar duimen in haar broekje en liet het, met kleine beetjes en licht heupwiegend, helemaal naar beneden zakken. Bubi durfde niet langer te kijken.

'Hou je kousen en laarsjes aan en ga nu allebei op het tapijt liggen.'

Bubi voelde een lichte paniek opkomen, maar dacht aan Mizzi en hun toekomst. Dit mocht ze niet verknoeien.

'Eerst de kleine.'

Bubi ging liggen en concentreerde zich op een kristallen lichtpegel, hoog aan het plafond. Kon ze die maar laten neervallen en zo het hoofd van de fotograaf in tweeën splijten.

De fotograaf boog zich voorover en schikte Bubi's rode jurkje zo dat het uitwaaierde op het donkere tapijt.

Bubi dacht aan de twee zijden linten die onder haar lagen.

'Ga op de kleine liggen en omarm haar in een verstikkende omhelzing', zei de fotograaf tegen Mizzi.

Mizzi keerde haar rug naar de fotograaf, knipoogde naar Bubi, ging naast haar liggen en legde haar linkerbeen over Bubi's buik.

'Maak contact, schort het jurkje op.'

Mizzi frommelde heel voorzichtig Bubi's jurkje naar boven. Bubi weerde haar een beetje af.

'Mooi, die verschrikte ogen. Perfecte lijn, die opgetrokken wenkbrauwen.'

'Wij worden de beste actrices van de hele wereld', fluisterde Mizzi in het oor van Bubi. 'Wij gaan naar Hollywood.'

De fotograaf plaatste het statief vlak bij de benen van de meisjes.

'Hef je linkerbeen nog wat hoger op.'

Mizzi gaf haar heup een kleine draai.

'Ja, goed zo.'

De fotograaf, die nu een afgeronde glazen staaf vasthad, die het zonlicht opving dat op de muren en het plafond in alle kleuren uiteenspatte, kwam naast hen zitten.

'Niet bang zijn, dit is mijn toverstok. Hiermee zal ik jullie betoveren zodat ik de mooiste foto's kan maken die er op aarde zijn.'

Mizzi voelde zich slaperig worden en ook Bubi liet zich wat geruststellen door de zalvende stem van de fotograaf. Het lichtspel op de muren fascineerde haar zo dat ze niet merkte hoe de fotograaf heel zachtjes langs de binnenkant van Mizzi's dijen streek. Eerst met een vinger, toen met twee en toen met de hele hand. Mizzi hief haar heup nu helemaal op.

'Goed zo, mijn liefje. We komen er wel.'

Bubi zag hoe Mizzi's gezicht gloeide.

We zijn de beste actrices van Wenen, dacht ze.

De fotograaf wreef nu met de glazen staaf in cirkels over Mizzi's dijen en kwam steeds dichter bij haar vagina. De staaf wreef nu over Mizzi's schaamhaar en legde het vochtige roze van haar vagina open.

'Contrast,' zei de fotograaf, 'daar draait het om. Fotografie is zwarte kunst: alles wordt omgekeerd. Zwart wordt wit en wit wordt zwart. Rood wordt grijs en roze wordt donker fluweel.'

De fotograaf bleef zachtjes wrijven met de glazen staaf om het perzikroze rood te laten worden en glad te laten glanzen zodat het mooi zou contrasteren met het bedje van verwarde zwarte haren. Af en toe voelde Bubi hoe de fotograaf ook haar beroerde. Ze hoorde Mizzi's zuchten intenser worden en vond het helemaal niet erg dat Mizzi zo over haar heen schoof. Plots voelde ze Mizzi verstijven. Zachte schokken gingen door haar lichaam.

'Blijven zo. Niet bewegen', zei de fotograaf.

Mizzi klampte zich aan Bubi vast en Bubi vond dit prettig. Samen naar Hollywood, dacht ze nog een keer en heel even vergat ze de fotograaf, die neuriënd de negatiefplaat prepareerde.

Het stroperige collodium vloeide uit op het glazen oppervlak, dat direct daarna in de zilvernitraatoplossing gedompeld werd. De lichtgevoeligheid was nu het grootst.

'Nu zes minuten stil liggen, meisjes. Niet bewegen of het moet helemaal opnieuw. Het is maar even.'

Dat ziet er goed uit, dacht de fotograaf. Mijn klant, Carl Reinhaus, zal tevreden zijn. Maar nu het échte werk. De beloning.

VIJF

Ignatz haalde zijn zakhorloge boven. Drie uur, een half uur te laat, helemaal Bérénice' gewoonte niet. Om vier uur zou Elisabeth hem komen ophalen om samen naar het atelier van Schiele te gaan. Het zou nipt worden. Hij ijsbeerde door zijn praktijkruimte, toen hij iemand hoorde binnenkomen. Bérénice stond met roodomrande ogen in het midden van de wachtkamer.

'Wat is er gebeurd?'

'Ik denk dat ik hem heb gezien.'

'Wie?'

'De seriemoordenaar.'

Ignatz zuchtte. Massahysterie, hij haatte het. De pers had van de moordenaar van Von Graff meteen een seriemoordenaar gemaakt. Erger nog, ze hadden het belachelijke gerucht verspreid dat Jack the Ripper uit Londen naar Wenen was gevlucht. Die kwakkel had heel Wenen op zijn kop gezet. Gisteren blokletterde het *Illustrierte Wiener Extrablatt*:

**JACK THE RIPPER, POOLSE JOOD,
TREKT SPOOR VAN BLOED EN LIJKEN**

Hoe zou hij dit aanpakken? Haar zeggen dat ze slachtoffer was van de massahysterie rond Jack the Ripper? Of meegaan in haar waan, om zo een betere greep op haar angstbeelden te krijgen?

Hij nam haar jas aan, leidde haar naar de zetel in zijn spreekkamer en ging tegenover haar zitten.

Tot nu toe had hij in de therapie gekozen voor confrontatie, voor waarheid, maar dat werkte niet bij Bérénice. Hij opende haar dossier, dat op zijn schoot lag, en schreef erin: 'Maandag 10 maart 1914, half uur te laat. Jack the Ripperwaan. Diagnose XI: hysterie. Suggestiegevoelig. Volgende sessie: hypnose?'

Hij wachtte tot ze rustig was.

'Vertel me over Jack the Ripper, Bérénice.'

'Jack the Ripper?'

De ogen van Bérénice vernauwden zich tot spleetjes.

'Waarom Jack the Ripper?'

'Je zei daarnet toch dat je hem had gezien.'

'Moosbrugger, ik bedoelde Moosbrugger.'

'Christian Moosbrugger? Waar heb je hem gezien?'

'In de Kärntner Strasse. Hij lachte naar me.'

Ignatz dacht: dat heeft ze uit de kranten. Moosbrugger, de timmerman-vrouwenmoordenaar, was een paar jaar geleden veroordeeld tot de doodstraf. Tijdens het proces raakten de rechtbankjournalisten er maar niet over uitgepraat dat een man met zo'n open gezicht en vriendelijke glimlach een seriemoordenaar was.

'Had je hem ooit eerder in levenden lijve gezien?'

Bérénice knikte.

Ignatz zweeg en probeerde niet op zijn horloge te kijken.

Bérénice tastte naar haar kruisje.

Het gebaar had iets theatraals. Zoekt ze steun of speelt ze het hulpeloze vrouwtje, dacht Ignatz.

'Ik had een vriendin, Sophie. Ik kon haar alles zeggen.'

Het leek of Bérénice het weer moeilijk kreeg. Ze pakte een foto uit haar handtas en gaf hem die. Hij zag twee meisjes, met de armen over elkaars schouder, lachend naar hem kijken.

'Sophie en jij.'

Bérénice knikte.

'Mag ik de foto houden?'

'Vindt u haar mooi? Iedereen vond haar mooi, die lieve Sophie.'

Ignatz stak de foto in het dossier.

'Samen met haar ouders zijn we op een namiddag naar Steinhof gegaan. Naar het misdadigerspaviljoen.'

'Paviljoen 23? Mochten jullie daar dan zomaar naar binnen?'

'De vader van Sophie is openbaar aanklager. We zijn zelfs in de cel van Moosbrugger geweest.'

Heel even ving Ignatz weer een glimp van fascinatie op.

'Sophie en ik hadden toen veel nachtmerries. Vooral over Moosbrugger. Onze psychiater zei dat we naar Steinhof moesten om te zien hoe goed de seriemoordenaar wel opgesloten zat. Achter tralies, in een isolatiecel en voor altijd.'

Ignatz schreef snel 'Psychiater?' in het dossier.

'Bauer. Bauer was mijn vorige psychiater. Hij is naar New York verhuisd.'

Ignatz glimlachte.

'We hoefden nooit meer bang te zijn voor Moosbrugger, zei Bauer.'

Bérénice nam haar zakdoekje, dat ze eerder nat in haar mouw had opgefrommeld, en snoot haar neus.

'De volgende dag vonden ze Sophie dood in haar bed.'

Ze zwegen.

'En jij hebt daarnet Moosbrugger gezien?'

'Ik ben er zeker van. Ik herkende onmiddellijk die dierlijke energie toen hij langs me wandelde, dat glimlachje toen hij me herkende ... Ik heb gelopen, gelopen, tot ik zeker wist dat hij me niet meer volgde. Daarna ben ik teruggekomen. Ik durf niet meer alleen naar huis te gaan. Herr Ignatz, breng me alstublieft naar huis, ik smeek het u.'

Haar smalle schouders schokten van het verdriet en ze wekte bij hem het gevoel dat ze helemaal verlaten was. Ignatz wist hoe belangrijk het was om niet mee te gaan in dat gevoel van absolute verlatenheid. Zowel voor haar als voor zijn zielenheil. Hij vulde het dossier aan: 'Diagnose VI: paranoia, achtervolgingswaan.'

'Ik kan het niet, Bérénice.'

Bérénice keek hem met grote, verbaasde ogen aan.

'Ik mág je niet naar huis begeleiden.'

'Gaat u me alleen laten? Me zomaar laten vermoorden?'

'Moosbrugger zit veilig opgesloten, Bérénice, dat wéét je. Je hebt het zelf gezien.'

'Toen, ja, toen zat hij vast. Maar ik heb hem nú gezien, daarnet. Ik lieg niet, ik heb hem gevoeld, ik heb hem geroken. Hij kwam achter me aan en wierp een net over me heen. Een net van woorden en vuile gedachten, dat me zal verstikken zoals het ook Sophie heeft verstikt.'

'Welke woorden en welke gedachten, Bérénice?'

Bérénice pakte het glas dat voor haar stond en gooide het met een knal op de grond. De glasscherven spatten tot in de hoeken van de kamer. Ignatz verwonderde zich over het contrast tussen de kracht waarmee ze smeet en de frêle indruk die ze daarnet wekte. Draaft ze door om wat ik vraag of omdat ik weiger haar naar huis te begeleiden, vroeg hij zich af.

'Zie nu wat er van komt als u me in de steek laat.'

Ze huiverde en vouwde haar armen beschermend om zich heen.

'Ik kan het niet alleen, Ignatz, ik kan het niet.'

Bérénice stond op, nam haar jas, wachtte nog even, maar toen ze zag dat Ignatz geen aanstalten maakte om haar terug te roepen liep ze weg. Ignatz hoorde haar schoenen de scherven verbrijzelen en bewoog niet.

Hij sloot zijn ogen en dacht aan maxime 225 van Baltasar Gracián: 'Ken je hoofdfout. Vecht ertegen.' Hij wist maar al te goed dat hij haar nu niet mocht beschermen en achternalopen, ook al smeekte ze erom. Ze moest het gevecht tegen de angst alleen aangaan, zoals Jacob met de engel. Het was de enige manier om te genezen.

Hij schreef in het dossier: 'Breken van glas en vlucht. Gebruikt voor de eerste keer mijn naam. Laten gaan. Onverwerkt verdriet over dood hartsvriendin of diagnose XVII: simulatie? Controleren of Moosbrugger in Steinhof of in de gevangenis zit. "Een net van woorden en vuile gedachten"? Echte of gespeelde gevoelens?'

Hij staarde naar de vloer, bezaaid met scherven.

En hij voegde aan het dossier toe: 'Brief schrijven naar graaf Kinsky.' Toen sloeg hij het dossier dicht.

Elisabeth stond in de deuropening.

Nog voor hij haar zag, wist Ignatz dat ze er was. Alsof de lichtval in zijn kamer veranderde.

Geamuseerd keek ze naar Ignatz, die druk in de weer was met stoffer en blik. Hij schuierde tot vlak bij haar hooggehakte laarzen.

'Een nieuwe therapie, Ksaveri?'

Heel even raakte het borsteltje de punt van haar laars.

'Succes verzekerd.'

'Ideaal voor een artikel in het *Jaarboek Psychiatrie en Neurologie*?'

'Als de redactie het niet te gewaagd vindt.'

'Ze zijn ruimdenkend in die kringen. Wat denk je van de titel: "Brekend glas. De ignatiaanse therapie"?'

Ignatz grijnsde terwijl Elisabeth zachtjes de deur achter zich sloot.

'Is het gelukt gisternacht?' vroeg Elisabeth.

'Koffie?'

'Graag.'

Elisabeth had haar jas over de leuning van de sofa gelegd en was Ignatz naar de keuken gevolgd. Ignatz hield van de vanzelfsprekendheid waarmee ze samen waren. Hij opende een blikken doos, schepte drie maatjes koffiebonen in de koffiemolen en begon de koffie te malen. Elisabeth kon haar nieuwsgierigheid met moeite bedwingen en troostte zich door naar de spieren van zijn onderarm te kijken. Hij vulde de waterketel. Elisabeth was niet van plan te wachten tot het water kookte.

'Heb je iets gevonden bij Von Graff, Ksaveri?'

'Op de klassieke plaats.'

'Toch niet onder zijn matras? Die plaats zullen de speurders van Von Recht niet over het hoofd gezien hebben.'

'Nee, in een boek.'

'Een bijbel?'

'Zijn bijbel: *Geslacht en karakter.*'

Ze gingen in de fauteuils zitten.

'Von Graff kreeg dreigbrieven, Elisabeth', zei Ignatz. 'Paul Krittowatz chanteerde hem. Een ulaan van de vierde cavaleriedivisie, een lansier.'

'Ik weet wel wat ulanen zijn, Ksaveri, soldaten die paarden hoger schatten dan vrouwen. Krittowatz, de minnaar van Von Graffs geliefde?'

'Juist, zijn brieven zijn grof en beledigend. Hij beschuldigde Von Graff van moord.'

Ignatz veerde op uit zijn zetel, nam een bundel brieven uit de lade van zijn bureau en kwakte ze op de salontafel.

'Von Graff pleegde abortussen in de Frauenklinik.'

Elisabeth stond op en keek Ignatz strak aan.

'Von Graff hielp vrouwen die geen geld hadden en nergens anders heen konden.'

'En tóch is het moord.'

Ignatz zei het luider dan zijn bedoeling was.

'Meneer de rechter spreekt.'

Voor de eerste keer stonden ze lijnrecht tegenover elkaar en testten ze elkaars kracht.

Elisabeth zuchtte. Haar stem verzachtte.

'Wat wil je dan, Ksaveri? Dat vrouwen die zich nu al geen raad weten met hun ondervoede kinderen, er nóg eentje op de wereld zetten? Of dat ze zelf, in hun wan-

hoop, de foetus proberen af te drijven en met een brei-
naald hun baarmoeder doorboren en doodbloeden? Of
dat ze naar een charlatan gaan, die hen infecteert en laat
creperen van de pijn?'

Ignatz kwam tot het schokkende besef dat Elisabeth erg
goed op de hoogte was van deze kant van Von Graff.

'Wat zou jij doen als vrouwen, ten einde raad en arm
als Job, aanbellen en om hulp smeken? Hen in de kou laten staan? Von Graff was hun laatste redding.'

Er viel een geladen stilte.

Elisabeth ging weer zitten, nam een brief en bekeek het
handschrift.

'Geen licht, die man.'

Snel las ze de inhoud.

'Vol fouten. Geen wonder dat Von Graff zich beledigd
voelde toen Minning hem verliet. Hem inruilen voor zo'n
uil van een ulaan.'

Ignatz' plotse woede was bekoeld. Elisabeth kon dat,
hem een spiegel voorhouden zonder dat hij het gevoel had
dat ze zijn zelfbeeld verbrijzelde.

Hij grinnikte: 'Vrouwen vallen toch bij bosjes voor ulanen?'

'Hoor daar, een kenner van de vrouwenziel.'

Elisabeth nam de brieven, ordende ze op datum en begon er vluchtig in te lezen.

'Wanneer kookt dat water nu eindelijk?' zei Ignatz.

Hij ging naar de keuken en zag dat hij het gasvuur had
vergeten aan te steken.

Terwijl hij wachtte tot het water kookte, voelde hij weer
de wroeging omdat hij voor Von Graffs verdriet op de
vlucht was geslagen. Wat had Von Graff hem in godsnaam

willen vertellen? Dat hij gechanteerd werd? Of zou het een dieper gesprek zijn geworden: over zielennood, over verlangen, over reiken naar het onmogelijke?

Hij keek naar Elisabeth, nog verdiept in de brieven, en goot het kokende water op de filterkoffie. Een ogenblik voelde hij zich vreemd gelukkig. Hij legde het Bischofsbrot, een cake gevuld met noten, rozijnen, chocolade en geglaceerde vruchten, op de taartschaal en zag hoe Elisabeth de laatste brief weer in de enveloppe stak.

'Pure bluf, wat die Krittowatz schrijft. Maar het moet wel benauwend geweest zijn voor Von Graff', zei Elisabeth.

Ignatz ging naast haar zitten.

'Heb je nog iets gevonden wat verband houdt met Von Graffs laatste afspraak?'

'Geen spoor.'

Ze nipten aan de hete koffie.

'Ik heb zondag wat rondgevraagd', zei Elisabeth.

'Op het Hofbal?'

'Ja, de grootste foltering van het jaar.'

'Was je alleen?'

'Nee, Zijne Keizerlijke en Koninklijke Apostolische Majesteit, Koning van Jeruzalem, enzovoort, was er ook.'

'Ik bedoel ...'

'Of ik gechaperonneerd werd?'

'Bij wijze van spreken, natuurlijk.'

'Ik ben geen suffragette, Ksaveri.'

Elisabeth keek hem geamuseerd aan.

'Hij was lang, knap, had brede schouders, bruine ogen ...'

Zodra Ignatz 'bruine ogen' hoorde, knikte hij gelaten.

'… grappig, snedig en, voor een man, buitengewoon intelligent.'

Ignatz zat er wat verloren bij.

'Een fantoom dus', zei Elisabeth.

Even was het stil.

'Je bent dus toch alleen gegaan?'

'Ik kan geen van mijn vrienden als chaperon laten opdraven, Ksaveri.'

Ignatz grinnikte.

'Er waren genoeg ulanen', zei hij.

'Het is het grootste roddelcircuit van de hele Keizerlijke en Koninklijke Habsburgse Dubbelmonarchie. Geen schuinsmarcheerder die niet over de tongen gaat. Die Krittowatz kun je van je lijstje verdachten schrappen. Hij zat, toen Von Graff werd vermoord, op 895 kilometer van Wenen, in een kazerne, met Minning vlakbij in een pensionnetje.'

'Betrouwbare informatie?'

'Onverdachte bronnen.'

Ignatz bood Elisabeth een stukje cake aan.

'Minning en Paul Krittowatz, twee verdachten met een alibi.'

'Klopt, en het is niet erg waarschijnlijk dat onze tortelduifjes een huurmoordenaar zouden hebben gecontracteerd.'

'Hun hoofd stond naar andere zaken.'

'Chantage, tot daar aan toe, moord, dat is iets anders.'

'Trouwens, Minning en haar minnaar hadden er geen enkel belang bij om een potentiële bron van inkomsten uit te schakelen, laat staan om de moord zo te ensceneren.'

'Die piste kunnen we dus verlaten.'

'Had jij meer geluk? Heb je een spoor gevonden in het dagboek van Lucretia?'

'Ik heb eerst mijn eigen dagboeken uit die tijd nog eens nageplozen, maar dat heeft niets bruikbaars opgeleverd. Zoals je weet verbleef Lucretia in ons buitenverblijf in noordelijk Bohemen.'

'Kasteeltjesland?'

'Juist, het krioelt er van de buitenverblijven van Weense families. Een hoog ons-kent-onsgehalte. Mary Dobrzensky, een tweede moeder voor Lucretia, woonde vlakbij. Ik heb haar toen niet kunnen spreken omdat ze kort na de moord op Lucretia naar New York was vertrokken.'

'Woont ze daar nog?'

'Sinds kort woont ze er weer. Ik wil haar spreken.'

'En het dagboek van Lucretia?'

'Eén woord.'

Elisabeth zag het ronde kinderlijke handschrift weer voor zich.

'*Afspraak!!!* in het rood en met drie uitroeptekens. En daaronder in potlood: *Hélène wegsturen.*'

'Wie is Hélène?'

'De gouvernante.'

'De moordenaar wilde geen pottenkijkers, Elisabeth. De foto's van de dode meisjes, waren dat replica's van recent werk van Schiele?'

'Christina werd vermoord op 10 augustus 1911. Lucretia op 15 januari 1912. Het werk van Schiele waarnaar de moordenaar verwijst, was toen heel recent.'

'Zou de kunstenaar-lustmoordenaar nu weer op dezelfde voet verdergaan?'

'Ik vrees ervoor. Hij heeft zich met de moordenscenering rond Von Graff niet alleen bekendgemaakt, hij daagt ons ook uit.'

'Nog een stukje cake?'

'Nee, dank je.'

'Wat doen we straks bij Schiele? Zeggen we het hem?'

'In geen geval. Schiele is de beschaafdheid zelf, maar als hij hoort dat een seriemoordenaar zijn werk misbruikt, bekladt en discrediteert, dan rust hij niet voor hij die imitator te pakken heeft. Laat mij in het atelier van Schiele het woord doen, Ksaveri, ik introduceer je en zeg hem dat je zijn advies wilt inwinnen.'

'Hoezo?'

'Je wilt je *Strijder* en *De Danser* toch op de best mogelijke manier inlijsten?'

*

Alles deed pijn en toch durfde Bubi niet te bewegen. Ze hield haar ogen stijf gesloten en ademde kort en langzaam, zodat ze niet zouden zien dat ze nog leefde. Dat had ze van de dierenverhalen geleerd, die meneer Ignatz haar soms voorlas. De vos, bijvoorbeeld, kon zich zo stil houden dat de vogels op zijn buik een nest konden bouwen. Bubi voelde zich weer draaierig worden en liet zich met de duizeling meevoeren.

Het gerammel van sleutels maakte haar wakker. Ze hoorde iemand snuiven. Gelukkig had ze zich onder de deken verstopt, hoewel die stonk en stijf stond van oud bloed. Een luikje schoof knarsend open. Ze voelde hoe ogen haar zochten, grepen en tegen de vloer van de kelder nagelden.

Ze hoorde de grendel van de deur openschuiven. Bubi

probeerde niet te sidderen, maar het was net of haar lichaam een eigen leven leidde. De indringer sloeg de rand van de deken om en controleerde het slot van de ijzeren band rond haar hals, die met een ketting aan een ring in de muur bevestigd was. Bubi klappertandde en keek naar het getraliede raam, hoog boven haar, waar een zwak schijnsel door viel.

De indringer schoof de deken nu helemaal weg en betastte haar.

ZES

Een houten spie hield overdag de voordeur open van het witte gebouw aan de Hietzinger Hauptstrasse 108. Toch was er nog nooit ingebroken of hadden de bewoners bezoek van een ongenode gast gehad. Wenen mocht dan in de ban zijn van de seriemoordenaar, de spie bleef er liggen. Alles ging zijn gewone gangetje: de bewoners knikten vriendelijk als ze elkaar kruisten en lieten elkaar met rust. Zelfs aan de excentrieke kunstschilder op de derde verdieping, aan wie ze in het begin hadden moeten wennen, stoorde niemand zich meer. Ook niet aan het voortdurende va-et-vient van modellen naar zijn atelier of van straatkinderen die daar een veilige en warme haven zochten. Trouwens, de kunstschilder, wiens naam de bewoners zelfs niet kenden, was bescheiden, verzorgde zich goed en poetste elke dag zijn schoenen.

Elisabeth en Ignatz stapten naar binnen en in het trappenhuis weerklonk het geluid van een stoomtrein. Ignatz keek verbaasd naar Elisabeth.

'Egon?' vroeg Elisabeth.

Hoe hoger ze de trap op gingen, hoe luider de trein klonk.

De deur van Schieles appartement stond op een kier en in de kamer weerklonk de stoomfluit, hoog en vrolijk. Wielen denderden ritmisch over de raillassen, raderen wentelden.

Ze klopten op de deur. Een trein ratelde over een ijzeren brug en remde krijsend af. Staal schuurde slepend tegen staal.

Elisabeth en Ignatz vonden Egon Schiele, doodernstig en geconcentreerd, in het midden van zijn slaapkamer tussen de sporen van zijn speelgoedtrein. De trein stopte en Schiele rondde met enkele luide knallen de stilstand van de locomotief in het stationnetje af.

TULLN, las Elisabeth op de voorgevel van het stationsgebouwtje. Het station aan de Donau, wist ze, waar Schieles vader stationschef was geweest.

Elisabeth was sprakeloos. Ze wist dat Egon goed kon imiteren, maar dat hij zo veel geluiden perfect kon nabootsen was een wonder: suizen in tunnels, puffen op een helling, zoeven langs stationnetjes, hobbelen over rotsen, hij kon het allemaal.

'Virtuoos!' zei Ignatz.

Egon Schiele keek omhoog en toen hij Elisabeth zag, lichtte zijn gelaat op. Hij kwam overeind, stapte als een flamingo over de sporen van zijn speelgoedtrein heen en kuste Elisabeth de hand.

'Ksaveri Ignatz von Oszietsky, een groot bewonderaar van je werk', stelde Elisabeth Ignatz voor.

'Het is een eer om u hier te mogen ontvangen, Herr Von Oszietsky.'

'Zegt u maar Ksaveri, Herr Schiele, en ik moet ú danken voor de eer hier te mogen komen en uw raad in te winnen.'

'Ksaveri heeft een gouache van je hangen, Egon.'

'O ja, welke?'

'*Krijger*.'

Schiele bekeek Ignatz.

'Passend.'

'Vind ik ook. En bij hem is ook *De Danser* terechtgekomen.'

'Waar je als een blok voor viel?'

Elisabeth voelde een lichte blos opkomen.

'Ze hangen nu naast elkaar.'

'Zo hoort het.'

'En we vroegen ons af ...'

'... welke lijst ...'

Schiele nam hen mee naar zijn atelier. Twee straatkinderen, een meisje en een jongetje, lagen er rustig op een sofa te slapen en in het midden stond een onafgewerkt schilderij op een schildersezel.

'*Ineengestrengelde meisjes*', zei Schiele, die Elisabeth het schilderij zag bestuderen.

Elisabeth zag een naakt meisje met een wereldwijze blik op een ander meisje liggen, dat verschrikt haar rechterarm de lucht in stak.

'Mizzi en Mirabell. Ik heb Mirabell vandaag moeten terugsturen omdat Mizzi niet is komen opdagen.'

Elisabeth en Ignatz wisselden een blik.

Schiele nam een stapel boeken van een stoel.

'Heel mijn ritme ligt overhoop, Elisabeth. Mizzi komt altijd als ik haar vraag om te poseren, maar vanmorgen was ze er niet. Zelfs Bubi, haar vriendinnetje, dat vaak meekomt om te kijken en te dromen, is niet langs geweest.'

Ignatz, die in verwarring voor een ander schilderij stond, keek op. Bubi, dacht hij, zou Schiele het over
zijn Bubi hebben? Bubi was vanmorgen ook niet bij hem
langsgekomen. Hij voelde hoe een zwaarte zich achter zijn
borstbeen nestelde. Alsof een raaf was neergestreken, die
doodstil wachtte op het naderende onheil.
'*Kardinaal en non*', zei Schiele, die dacht dat Ignatz hem
aankeek om het schilderij.
Ignatz knikte en besloot om straks bij Frau Gelb langs
te gaan.
'Zwartgelakt', zei Schiele terwijl hij een kader opdiepte
en dat op de vrijgemaakte stoel plaatste. 'Zo eenvoudig
mogelijk. Wat denken jullie?'
'Eenvoud is het mooist.'
'Ik geef dadelijk het adres van de lijstenmaker.'
'Ken je Genia Schwarzwald, Egon?' vroeg Elisabeth.
'De directrice van het lyceum aan de Franziskaner-
platz?
'Genia zou graag werk van jou tentoonstellen. Ik heb
haar jouw werk aangeraden vanwege de diepgang.' En
moet haar daarvan nog overtuigen maar dat lukt me wel,
dacht ze erbij.
'Een expositie voor de leerlingen?'
'Ja, maar niet op school, bij haar thuis. Ze wil de hori-
zon van de meisjes verruimen.'
Het gezicht van Schiele bloeide nu helemaal open.
'Dat zou prachtig zijn. Ik kan hun laten zien wat ze nog
nooit hebben gezien. Ik kan voor hen het onzichtbare
zichtbaar maken. Wally, Wally, heb je het gehoord?'
Valérie Neuzil – 'Wally' voor Schiele – was glimlachend
binnengekomen en had nog net de tijd om de zware korf,

boordevol groenten en fruit, naast zich neer te zetten vooraleer Schiele haar vastpakte en ze samen het atelier rondzwierden. Het meisje op de divan opende haar ogen, zag het dollende koppel en haar slapende broertje en viel als een blok in slaap.

'Daar moeten we op drinken. Wally, champagne!'

Schiele nam twee stoelen uit de keuken en Wally legde een gesteven damasten servet op het schilderstaboeret. Schiele hief triomfantelijk de fles in de lucht.

'Kleinoschegg Champagne, gekregen van Gerti.'

Ignatz stond er wat onnozel bij.

'Zijn jongere zus,' verduidelijkte Elisabeth, 'modiste en mannequin voor de Wiener Werkstätte.'

Wally zette drie kristallen champagnecoupes klaar terwijl Schiele de fles opende.

'Drie?' vroeg Elisabeth.

Wally glimlachte. Fürstin Elisabeth von Thurn was de enige uit Egons entourage die haar voor vol aanzag. De rest keurde haar geen blik waardig als er anderen bij waren. Maar hadden ze haar alleen, bijvoorbeeld als ze Egons tekeningen moest afleveren, dan werden ze plots bijzonder vriendelijk en dachten die smeerlappen dat ook haar lichaam bij de bestelling hoorde. Zoals die rotzak van een Reinhaus bijvoorbeeld. Een walgelijke kunstverzamelaar.

'Ik drink geen alcohol, gnädige Frau.'

'Zeg maar Elisabeth, Wally. Je kent me nu toch al lang genoeg.'

Wally knikte vriendelijk en verdween in de keuken.

Schiele, Ignatz en Elisabeth hieven het glas.

'Op de tentoonstelling en op het genie van Genia Schwarzwald', zei Schiele.

'Dat je nog veel mooie schilderijen mag maken', zei Elisabeth.

'Op je diepgang', zei Ignatz.

Ze dronken van de heerlijke champagne.

'Die Bubi, dat vriendinnetje van je model', zei Ignatz.

'Ken je haar?'

'Misschien wel.'

'Hoe oud is ze?' vroeg Elisabeth.

'Ik schat zo'n jaar of acht, negen, zeker niet ouder', zei Schiele. 'Klein, tenger, levendig in haar bewegingen, dromerig in haar blik.'

'Dat is ze', zei Ignatz.

Ignatz en Elisabeth keken naar elkaar.

'Is er iets?' vroeg Schiele.

'Nee, nee,' zei Ignatz, 'gewoon een merkwaardig toeval.'

Zijn ogen dwaalden af naar *Kardinaal en non*. Het doek beroerde en fascineerde hem. Een kardinaal die een verschrikte non in een ijzeren omhelzing hield. En ook nog allebei in gebedshouding. Kon het blasfemischer?

'Wat vind je ervan, Ksaveri? Iets voor de tentoonstelling?' vroeg Elisabeth.

Ze waren een goed team, vond Ignatz. De beste methode om Schiele af te leiden was te praten over zijn schilderijen.

'Een indrukwekkende compositie', zei Ignatz.

Schiele en Elisabeth zwegen.

Ignatz zwom naar de enige noodboei die hij zag.

'De parodie op Gustav Klimts *Kus* is geslaagd', zei Ignatz.

'Maar?' zei Schiele.

'De manier waarop de kardinaal de non in zijn greep heeft.'

'Hoezo?'

'Zo gewelddadig.'

'Realistisch', zei Elisabeth.

'Tóch is het hard', zei Ignatz.

'Het is een allegorie', zei Schiele.

'Van kerkelijk machtsmisbruik?' vroeg Ignatz.

'God nee,' zei Schiele, 'van het lot van de kunstenaar, de priester, de geroepene.'

Zowel Ignatz als Elisabeth keek hem niet-begrijpend aan.

'Ik twijfel nog. *Kardinaal en non* leek me eerst een goede titel, maar als zelfs jullie mijn schilderij daardoor verkeerd begrijpen, dan kies ik liever voor de oorspronkelijke titel: *Liefkozing.*'

Schiele sprak in raadsels.

'*Kardinaal en non* was mijn eerste schilderij na mijn vrijlating, een kleine twee jaar geleden.'

Die vierentwintig dagen in de gevangenis van Neulengbach zou hij nooit meer vergeten.

'Na mijn vrijlating kon ik een half jaar niet meer schilderen. Ik zag geen beelden meer.'

Ignatz knikte.

'Maar toen hervond ik mijn kracht en drong deze allegorie zich op. De man in het rood volgt zijn roeping: hij zegt de waarheid en wordt daarvoor vervolgd.'

'Vandaar het rood,' zei Ignatz, 'het rood van de martelaar, niet het rood van de kardinaalsmantel.'

'Bijna iedereen heeft hem in de steek gelaten', zei Schiele.

Carl Reinhaus, dacht hij, ontzegde me de toegang tot

zijn huis. Ik mocht hem zelfs niet meer tutoyeren, de hypocriet.

'Enkelen bleven in je geloven', zei Elisabeth.

'Vooral vrouwen', zei Schiele.

'Nu zie ik het, zij probeert hem te beschermen', zei Elisabeth.

'Geen verstikkende omarming, maar een liefkozing die bevrijdt', zei Ignatz.

Alle drie keken ze geboeid naar het schilderij. Heel even voelde Elisabeth Ignatz' arm zachtjes tegen de hare drukken. Zou het mogelijk zijn, dacht ze. Kunnen liefde en vrijheid samengaan?

Ze ging naar het grote raam en zag aan de overkant het gordijn bewegen. Edith Harms, vermoedde ze. Schiele had haar onlangs toevertrouwd dat hij eraan dacht om met dat burgermeisje te trouwen. Elisabeth bemoeide zich niet met zijn keuze maar had te doen met Wally. Ineens drong het tot haar door en het inzicht sneed door haar ziel: niet Schiele was de martelaar, maar Wally. Wally offerde zich op voor Egons kunst. Wally werd nooit mee uitgenodigd voor tentoonstellingen of recepties omdat ze met Egon samenwoonde en dus 'in zonde' leefde. Hypocriete kleinburgers, dacht ze. En in huwelijkszaken was Egon net zo een kleinburger. Hij zou nooit met Wally trouwen omdat ze geen net burgermeisje was. Die knieval voor de schone schijn had ze nooit van hem begrepen. Of zag hij Edith als een beter entreeticket voor de wereld van de kunstgaleries dan Wally?

Elisabeth draaide zich weg van het raam.

'We zien vaak wat we vrezen te zien', zei ze en ze nipte van de champagne.

'*Liefkozing* lijkt me inderdaad beter', zei Ignatz.

'Wat ik je wilde vragen, Egon,' zei Elisabeth, 'heb je nog onverwacht bezoek gehad?'

Schiele keek naar het raam aan de overkant.

'Onaangenaam bezoek, bedoel ik.'

'Ach, hier komen zo veel vervelende mensen over de vloer die me van mijn werk afhouden. Ik heb het niet over jullie, hoor.'

'Het is je geraden', lachte Elisabeth.

'Kunstverzamelaars, rijke dames die zich vervelen,' hij knipoogde even naar Elisabeth, 'collega-schilders die willen weten waar ik nu weer mee bezig ben, persmuskieten … Nu je het me vraagt, onlangs kwam hier een heel rare man, een advocaat, een zekere doctor Bauch. Hij kocht een aantal tekeningen van me en was die aan het oprollen toen hij me vroeg of ik hem nog wat pikantere dingen kon aanbieden. Ik begreep eerst niet waarover hij het had, maar toen ik besefte wat hij vroeg heb ik hem onmiddellijk naar buiten gegooid. Ik heb hem gezegd dat hij op het verkeerde adres was, dat ik geen pornografie schilder. Maar ik dwaal af.'

'De politie is de afgelopen week op een paar plaatsen in Wenen binnengevallen en ze hebben mensen meegenomen voor verhoor.'

'Zomaar, in het wilde weg', voegde Ignatz eraan toe om zeker geen argwaan te wekken.

'Idioten', zei Schiele. 'Ze pakken je zonder gegronde reden op. Nee, één keer vals beschuldigd worden is meer dan genoeg. Vijftig tekeningen hebben ze nog van mij, die maniakken van Neulengbach.'

'Misschien heb je ze tot de kunst bekeerd', lachte Elisabeth Schieles woede weg.

Ze zag de *Wiener Illustrierte* in de lectuurbak liggen.

'Je hebt het toch gelezen van Von Graff, Egon?'

'Ja, vreselijk. Hebben die willekeurige razzia's met zijn dood te maken?'

Elisabeth knikte.

Schiele aarzelde even en zei: 'Hij was als een vader voor me.'

Hij ging naar de hoek van het atelier en haalde uit de tekenmap het portret van Von Graff.

Elisabeth en Ignatz keken naar de tekening.

'Een paar uur voor zijn dood. Hij verbrokkelde waar ik bij stond.'

Von Graffs gezicht was grauwgroen ingekleurd en zijn lippen onnatuurlijk rood.

'Waarom die kleuren?' vroeg Elisabeth.

'Ik wist dat hij ging sterven.'

Ze zwegen alle drie.

'Ik heb hem één keer kwaad gezien. Ik zocht een model voor mijn *Dode moeder I* en *II*. Toen schilderde ik een foetus.'

Schiele schonk hun nog wat champagne in.

'Een groot gebrek aan respect, zei Von Graff. Waarheid moet geschilderd worden, zei ik, niet weggeborgen. Hij was razend, zei dat er grenzen waren. Ik durfde hem niet te vragen: welke dan? Want dan had hij mij de toegang tot de Frauenklinik ontzegd. Na die ruzie heb ik nooit meer foetussen geschilderd.'

Ignatz voelde weer de zwaarte achter zijn borstbeen. Bubi, schoot het door zijn hoofd, er is iets met Bubi. Ik moet Frau Gelb spreken.

'Papa is me vannacht weer komen opzoeken, Elisabeth', zei Schiele.

Elisabeth keek hem verrast aan.

'Hij zat de hele nacht op een stoel naast mijn bed, hield mijn hand vast, gaf me water en wiste het zweet van mijn voorhoofd. Net als vroeger.'

Het werd stil in het atelier. De schemering viel.

ZEVEN

Ignatz schrok wakker van geritsel aan de deur. Hij luisterde gespannen. Het was doodstil in zijn appartement. De pendule van zijn grootmoeder zaliger baadde in het licht van de straatlantaarn. Half vier. Hij hoorde een sleutel zachtjes in het slot glijden en iemand draaide die traag twee keer om. Wie had er in godsnaam een sleutel van zijn deur, of was het een loper? Ignatz gleed uit zijn bed en verborg zich achter de kast. De klink ging naar beneden. Een gestalte sloop naar binnen en sloot voorzichtig de deur achter zich. Ignatz zag hoe de man even steun zocht tegen de binnenkant van de deur.

De man ademde diep in en draaide zich om. Een werkmanspet verborg zijn ogen. Hij sloop naar Ignatz' bed en pas toen hij zich verwonderd oprichtte omdat het bed leeg was, besprong Ignatz de indringer, gooide hem op het bed en klemde hem in een houdgreep.

'Kan het iets minder enthousiast, mijn zoon?'

Ignatz liet onmiddellijk los. Het was pater Hermann Wolf, zijn provinciaal overste.

'Mijn excuses, vader Wolf, ik dacht ...'

'Geen excuses, Ksaveri, slechts weinigen is het gegund om door jou fijngeknepen te worden.'

Ignatz voelde zich blozen en was blij met de beschutting van het halfdonker.

Wolf controleerde voorzichtig zijn ribben en ging op het bed zitten.

Uit een rugzakje, dat hij onder zijn werkmansplunje droeg, pakte hij een blauwe werkmanskiel en gaf die aan Ignatz.

'Kleed je aan.'

Wolf keek roerloos voor zich uit.

'We hebben een probleem, Ksaveri.'

Terwijl Ignatz deed wat hem gevraagd werd, nam hij ongemerkt zijn provinciaal overste op. Wolf had een stevige knauw gekregen.

Samen spoedden ze zich zwijgend door de Rotenturmstrasse naar de Fleischmarkt en de Schönlantarngasse. Met een verbeten trek rond zijn mond opende Wolf het achterpoortje van de Jesuietenkirche. Een smalle gang leidde hen naar een stalen deur.

'Fröhlich is vermoord', zei Wolf. 'Hier, in de kerk.'

Het leek Ignatz alsof Wolf hem een slag in het gezicht gaf.

Dat kan niet, dit moet een vergissing zijn. Een geweldlozer en zachtere man dan Hans Fröhlich bestónd gewoonweg niet. Hans had hem twee weken geleden nog bezocht. Hij zat in de wachtkamer toen Ignatz zijn laatste patiënt uitliet. Een verrassingsbezoek. Hoelang was het niet geleden dat ze elkaar gezien hadden? Vijf jaar? Ze waren elkaar in de armen gevallen.

De kerk was gehuld in diepe duisternis, rouwend, leek het, om wat zich in haar schoot had afgespeeld. In de verte, bij de preekstoel, schemerde wat licht. Daar ligt hij, dacht Ignatz, en het was alsof hij zware, zwarte sluiers van verdriet moest wegschuiven om bij de preekstoel te komen.

Zo snel, Herr Ignatz, wat een aangename verrassing. Wees welkom.

Door het goudkleurige cocon dat rond de preekstoel was gespannen, zag Ignatz het silhouet van Hans, rechtopstaand, in gebedshouding. Het licht van de flakkerende kaarsen rond de preekstoel speelde in het parelmoerinlegwerk en de gouden versieringen van de kansel.

Aanschouw mijn werk, Herr Ignatz. De durf ervan zal u verstommen. De glans ervan zal u verblinden.

Hans verafschuwde pracht en praal, maar nu was het alsof ze hem niet meer konden deren en alsof hij, die onrustige zoeker, vrede had gevonden. Wolf schoof de in goudverf gedrenkte muskietentule opzij zodat Ignatz de hele enscenering kon zien. De verzen van de profeet Jeremia donderden in Ignatz' oren: 'Ik kan het niet meer verdragen! Ik krimp ineen, mijn hart bonst of het breken zal!'

'Ga zitten en kijk', zei Wolf.

Kijk, Ignatz, kijk.

De commandotoon van Wolf was de perfecte remedie tegen de duizeling die Ignatz voelde opkomen. Wolf heeft nog niets van zijn kracht verloren, dacht Ignatz, en hij wist niet goed of hij daarom opgelucht moest zijn of zich daarover zorgen moest maken. Ignatz dwong zichzelf om weer naar het moordtafereel te kijken. Observeren, analyseren, niet oordelen, reciteerde hij in gedachten de mantra van Von Graff. Hij keek naar Hans, gehuld in een robijnrode kardinaalsmantel, de bonnet op het hoofd geplant. Een rode vloek voor ieder die wist hoezeer Hans de praalzieke stijl van de hiërarchie verfoeide. Ontroerd keek Ignatz naar zijn biddende handen.

Kijk dan toch, Ignatz. Niets is wat het is.

Zijn oog viel op iets zwarts, iets vormloos dat in Hans' armen lag.

Nee, dit kan niet, dit mag niet, dacht hij en hij stapte snel naar de andere kant van de preekstoel. Hij zag Hans nu in profiel, lichtjes gebogen over een vrouwenfiguur in zwart habijt. Hij huiverde.

'Heb je iets gevonden?' zei Wolf, die Ignatz nauwlettend in het oog hield.

'Die figuur in het zwart, in godsnaam, wat doet die bij Hans?'

Ignatz, die Wolfs haviksblik niet onderschatte, wist dat hij zijn overste enkel met verontwaardiging kon misleiden. Niemand, behalve Elisabeth, mocht weten dat de kunstenaar-lustmoordenaar weer had toegeslagen, dit keer met een gruwelijke imitatie van *Kardinaal en non* of, zoals Schiele het schilderij wilde noemen, van *Liefkozing*.

Wat vind je van mijn liefkozing, Ignatz? Smaakt ze naar meer? Zal ik je hoofd ook zo in mijn armen wiegen?

Concentreer je op de vrouwenfiguur, sprak Ignatz zichzelf moed toe, denk niet aan Schiele want Wolf leest je als geen ander. Aan wie doet ze je denken?

'Hans is hier om half elf voor het laatst gezien. Hij moest de kerk afsluiten na het horen van de laatste biecht', onderbrak Wolf zijn gedachten.

Ignatz voelde dat Wolf geen tijd wilde verspillen met details over hoe de moord was ontdekt.

'In welke biechtstoel?' zei hij.

'Die met de twee engelen des doods, waar ik vaak zit.'

Ignatz ging naar de verste biechtstoel aan de oostkant en onderzocht hem vluchtig. Wolf volgde hem op de voet. Ignatz wist dat Wolf de biechtstoel al had onderzocht, maar nam toch het zekere voor het onzekere.

'Professioneel, weinig of geen sporen', zei Ignatz.

Vanzelfsprekend, een kunstenaar is een ambachtsman. Met inspiratie alleen redt hij het niet. Oog voor detail is bijzonder belangrijk.

Hij keek naar de grote donkere vlek in het hout van de zitbank.

'Waarschijnlijk een wurgmoord', zei hij.

Ignatz had daarnet Hans' strottenhoofd in de diepte van zijn keel zien schemeren en geconcludeerd: gewurgd met een pianosnaar, gelukkig niet gefolterd. Hij had het effect van zo'n wurgsnaar vroeger al eens gezien en had zelfs het bijzondere privilege genoten om zo'n wurgsnaar op een stropop uit te proberen en zich daarbij te verwonderen over de geringe kracht die nodig was om dit geluidloze wapen zijn dodelijke werk te laten doen. Als een getrainde jachthond speurde hij verder naar sporen en onderzocht de kortste weg naar de preekstoel.

'Hans was makkelijk te verslepen: klein en mager', zei Ignatz, meer tegen zichzelf dan tegen Wolf.

En open nu alle zintuigen, Ignatz.

Ignatz besteeg de trappen van de preekstoel. Op de bovenste trede van de kansel lag een grote kwal. Het melkwitte, half doorschijnende lichaam leek zachtjes te ademen in het kaarslicht en haar felle lila, blauwgroene en dieproze tentakels staken obsceen af tegen de donkere, uitgesleten treden van de preekstoel.

Geen bloemen maar een zeedier dit keer, dacht Ignatz.

'Physalia Arethusa', zei Wolf. 'Bekend om zijn vermogen om tegen de stroom in te zwemmen.'

Ondanks alles moest Ignatz glimlachen om Wolfs uitleg. Juister kon je Hans niet typeren. Had de kunstenaar-lustmoordenaar die typering zo bedoeld? En zo ja, hoe kende hij hem zo goed?

'Van glas', zei Wolf. 'Ken je de Blaschka's?'

'Nooit van gehoord.'

'Een meesterstuk.'

Niets vergeleken bij míjn meesterstuk.

Ignatz stapte voorzichtig over de fascinerende creatie heen en stond nu naast het dode lichaam van Hans. Hij zag meteen waarom Hans rechtop stond: in het diepe, blauwachtige litteken dat de pianosnaar had achtergelaten, lag een stalen draad die bevestigd was aan het plafond van de preekstoel. Ignatz weerstond de impuls om Hans onmiddellijk te bevrijden. Eerst de moordscène goed in me opnemen, dan de vrouwenfiguur ontmantelen en dan pas komt Hans, dacht hij. Hij keek naar beneden. Wolf knikte. Ignatz schoof de zwarte mantel opzij en een gepolychromeerd beeld kwam tevoorschijn.

'Het Mariabeeld van de zijkapel', zei Wolf.

Het beeld, Ignatz, is een afbeelding van iets anders. Het is de taak van de kunstenaar om dat andere, het mysterie, op te roepen.

De zwarte sluier, die het gezicht van Maria gedeeltelijk verborg, was moeilijker te verwijderen. Met fijne nageltjes was hij in het hoofd gedreven.

Het zweet brak Ignatz uit. De ondergrond was geen gepolychromeerd hout maar iets zachters. Hij keek weer naar Wolf, die star naar het half ontblote hoofd keek. Ignatz voelde een misselijkheid opkomen. Hoe voorzichtig hij ook te werk ging, hij kon niet vermijden dat er af en toe stukjes dood vlees meescheurden.

Eindelijk viel de zwarte sluier naar beneden. Ignatz' adem stokte. De moordenaar had het hoofd van de madonna vervangen door een meisjeshoofd. Haar gelaat deed Ignatz denken aan het masker van een geisha: wit opgemaakt, koraalrode lippen, zwart gelakte tanden en ver boven de oorspronkelijke, afgeschoren wenkbrauwen twee fijngetekende halve cirkels, die het meisje een extreem verwonderde uitdrukking gaven.

Kunstig, Ignatz, niet? Oosters, geraffineerd, geheimzinnig.

Ignatz herkende het meisje. Er was geen twijfel mogelijk.

Wolf, die had gemerkt hoe erg Ignatz geschrokken was, zei: 'Kom maar naar beneden, Ksaveri, de tijd dringt.'

Verdwaasd daalde Ignatz de trappen af.

'Genoeg gezien?'

Ignatz knikte.

Wolf keek op zijn horloge: vijf uur, nog drie uur voor de eerste dienst werd opgedragen.

'Wat doen we met Hans?' vroeg Ignatz.

'Hans leggen we voorlopig in de crypte, die is koel genoeg. Als je wilt, mag je hem afleggen, maar niet vannacht, eerst het meisjeshoofd. Enig idee wie het meisje zou kunnen zijn?'

'Ze is opgemaakt als een geisha.'

'En?'

'Geen idee.'

De stilte die op zijn antwoord volgde, leek Ignatz eindeloos te duren.

'Lijkt me een meisje van de straat', zei Ignatz.

'Werkte Hans niet voor straatkinderen in Dublin?' vroeg Wolf.

Ignatz dacht aan zijn laatste gesprek met Hans. Aan diens verontwaardiging omdat hij er zeker van was dat sommige priesters en paters in zijn omgeving kinderen seksueel misbruikten. Dat hij dat onrecht bij zijn oversten had aangeklaagd, met bewijzen was gekomen, maar dat niemand hem had willen geloven. Hij was dringend aan vakantie toe, hadden ze hem gezegd. Wist Wolf hiervan, vroeg Ignatz zich af.

'Waar kunnen we het hoofd veilig bewaren, Ksaveri?'

'Als bewijsmateriaal voor later?'

Het bleef even stil.

'In de Frauenklinik, in een bokaal met formol', zei Ignatz.

'Goed, breng het hoofd dan naar de Frauenklinik en zorg ervoor dat geen enkel spoor naar hier leidt. Akkoord?'

Perfecte plaats, de Frauenklinik. In formaldehyde. Je stelt me niet teleur, Ignatz.

'Ik zorg ervoor.'

'Hoeveel tijd heb je nodig om Hans naar de crypte te brengen en te verdwijnen met het meisjeshoofd?'

'Een uur.'

'Goed, dan stuur ik om zes uur de schoonmaakploeg.'

Wolf gaf Ignatz een stevige schouderklop en zei: 'Ik reken op jou, mijn jongen. Vergeet niet de kerk te sluiten.'

Daarna verdween hij langs de achterpoort.

Ignatz wachtte tot hij niets meer hoorde en keek toen pas weer naar de preekstoel. In het schijnsel van de kaarsen leek het alsof Hans zich beschermend over het meisje boog. Het meisje op Schieles schilderij *Ineengestrengelde meisjes*. Het meisje dat samen met Bubi spoorloos was verdwenen. Mizzi.

*

De fotograaf zat enige ogenblikken roerloos voor *Het Grote Boek Van Uitgesteld Genot*, opende het en bekeek aandachtig de paginagrote foto. De zwarte kunst had de ziel uit het lichaam gezogen en voor eeuwig op fotopapier vastgelegd.

Het was de beste foto ooit. Het juiste moment: de jezuïet had vlak ervoor met een dramatische beweging het hoofd naar de hemel geheven en stortte nu in de extase. De perfecte compositie: de jezuïet pal in het midden, aan zijn linker- en aan zijn rechterzijde een engel des doods en, door de scheur in de soutane, een diagonaal door het beeld. Ten slotte het subtiele maar o zo belangrijke detail: de scheur in de soutane die gedeeltelijk de gevilde linkerborst onthulde.

Tevreden wreef de fotograaf over de donkerbruine haarlok die op de pagina naast de foto was vastgekleefd. Het was heel hard werken, maar het resultaat mocht er zijn. Dit was kunst.

De fotograaf riep weer het bleke gelaat van de jezuïet achter de houten honingraat van de biechtstoel op. Wat een genot was het geweest om de veranderingen op dat gezicht te kunnen veroorzaken. Hoe rustig en ingetogen was het aan het begin van de biecht geweest en hoe gekweld naarmate de biecht vorderde. Ah, de zonden met de meisjes fluisterend opbiechten en de goorste details breed uitmeten ... Overmand door genot sloot de fotograaf de ogen.

Maar toen zag de fotograaf alles weer haarscherp voor zich en dacht: na dat sublieme voorspel verbrak jij opeens ons contact. Hoe meer ik vertelde, hoe minder je reageerde. Je luisterde niet meer, bleef maar strak voor je uit kijken, zag me zelfs niet eens!

De fotograaf veerde op.

Je wilde me niet zien, hoewel ik je álles had gegeven. Ook niet toen ik de deur van je biechtstoel openrukte. Mizzi, die zag je wel toen ik haar hoofd in je schoot drukte. Belachelijk hoe je je handen op haar hoofd legde, ze was al uren dood.

Alles heb ik gedaan om ons te verenigen. Ik heb de pianosnaar rond je nek gelegd, die langzaam aangespannen en je blik gezocht om te ontdekken of je dat unieke moment, dat moment van luciditeit waarop je je realiseerde dat je leven afgelopen was, met mij wilde delen. Je durfde me niet eens aan te kijken, je verschanste je achter een scherm van neergeslagen ogen. Was je bang voor intimiteit? Voor de grote overgave?

Ik heb je oogleden omhooggeduwd om me te kunnen laven aan je doodsangst, maar ... er lag geen angst in je blik. Alleen een vreemd soort weten. Wat wist jij dat ik niet weet, vuige jezuïet? Waarom glansden je ogen zo?

De fotograaf ging zitten en kalmeerde.

Maar de enscenering voor de foto heeft alles weer goedgemaakt. Een kwestie van gezond verstand, techniek, zorgvuldigheid én passie. De stalen draad onder je kin, die je hoofd ietsje naar achteren trok voor de extase, is niet te zien. Ook je handen niet, die ik op je rug had gebonden waardoor je nu zo hulpeloos lijkt, zo gemakkelijk te veroveren.

De fotograaf lachte. Sardonisch.

En het einde was subliem. Kwam het door de heilige plaats? Of deed mijn plotse razernij het vuur van mijn lust opflakkeren? Ach, het is, zoals Gilles de Rais het heeft beschreven, een kwestie van het juiste moment. Het eigen orgasme afstemmen op de leger en leger wordende blik, de wit wegdraaiende ogen, de laatste rochel, de laatste reutel. En dan niets meer. Dan rest enkel nog de leegte, de herinnering.

Fotografie is niets anders dan in bezit nemen, dacht de fotograaf.

Toen werd er aangebeld.

De twee mannen wachtten al meer dan een kwartier in de visitekamer en nog bleef alles doodstil. Ze hadden geleerd geduldig te zijn en als er iets was waar Weense politieagenten goed in waren, dan was het in wachten.

De politieagent met de hoogste rang, die sprekend leek op een jongere uitvoering van de keizer, had het interieur al op zijn waarde geschat. De vleugelpiano, de dikke tapijten, de kristallen luchter en het grote schilderij wezen maar op één ding: hier woonde een heer van stand. Zijn jongere collega, wiens blik voortdurend naar het schilderij afdwaalde, kon de verleiding niet langer weerstaan en stond op om het van dichterbij te bekijken. Een betoverend mooi meisje, met een bloemenkrans, boog zich sierlijk over een knappe ridder, die na de strijd uitrustte in een idyllisch landschap. Haar lange haar viel heel toevallig als een rode sluier over zijn geharnaste schouder en de roze, zachte stof van haar jurk stak mooi af tegen de metaalglans van zijn kuras. Smachtend, met de lippen halfopen, keek de ridder naar het meisje en leek te wachten op het moment dat ze, als een rijpe roze vrucht, in zijn armen zou vallen.

'Dát is pas kunst', zei de jonge agent.

'Klaar om in je armen te vallen, zo maken ze ze niet meer.'

'Kijk toch naar die blanke schouders.'

'Dat heb je met die rosse meisjes.'

'Heel wat anders dan de rommel van tegenwoordig.'

'Ze is nog maagd.'

'Hoezo?'

'Witte bloemen. Staat voor maagdelijkheid.'

De jonge agent keek gefascineerd naar het liefelijke meisjesgelaat. Hij kon begrijpen waarom de ridder zo verlangend naar haar opkeek.

'*La belle dame sans merci*', zei de fotograaf, die zachtjes de deur achter zich sloot.

Zowel de jongere als de oudere agent sprong in houding.

'Neemt u me niet kwalijk dat ik u zo lang liet wachten, heren.'

'Wíj moeten ons excuseren, gnädige Frau, we hebben ons bezoek aan de fotograaf niet aangekondigd.'

De fotograaf glimlachte en zei: 'Maar gaat u toch zitten,

heren. Ik ben de fotograaf. Koffie, thee, cacao?'

'Nee, dank u, we willen u niet te lang van uw werk afhouden.'

'U weet met kunstenaars om te gaan, Herr Polizeioberrat. Waarmee kan ik u van dienst zijn?'

Ze is mooier dan het meisje op het schilderij, dacht de oudere agent.

'Laat ik maar meteen met de deur in huis vallen', zei hij. 'Professor Von Graff?'

'Gruwelijke moord. Vreselijk.'

'Ja, een spijtige zaak.'

'Is het waar wat in de kranten staat? Dat we met een seriemoordenaar te maken hebben?'

'In het belang van het onderzoek kunnen we jammer genoeg niet veel zeggen, gnädige Frau, maar mogen we u een paar vragen stellen?'

'Jazeker, ik wil niets liever dan dat u hem zo vlug mogelijk te pakken krijgt. Naar het schijnt is hij nog erger dan Jack the Ripper. Bloeddorstiger.'

'We weten niet of we wel met een seriemoordenaar te maken hebben', zei de jonge agent om de fotograaf wat gerust te stellen.

De oudere agent keek zijn collega neutraal aan, wat voldoende was om hem voor de rest van het interview de mond te snoeren.

'Kende u professor Von Graff?'

'Alleen van gezicht.'

'U weet waar hij woonde?'

'In de buurt, vermoed ik.'

'Aan het einde van de straat, vlak tegenover het Museum für Volkskunde. We ondervragen iedereen in de buurt.'

'En het heeft nog niet veel opgeleverd.'

De oudste politieagent schoof verveeld op zijn stoel. De fotograaf was niet alleen mooi en sensueel maar ook scherpzinnig.

'Wanneer zag u professor Von Graff voor het laatst?'

'Toch al een hele tijd geleden.'

'Een paar dagen, weken, maanden?'

'Maanden, denk ik. Hij liep hier vaak met een jong meisje aan de arm, een lief ding.'

'Dat moet dan al een hele tijd geleden zijn. Nog een laatste vraag, gnädige Frau, woont u hier alleen?'

De mond van de fotograaf plooide in een brede glimlach.

'Mag ik dit interpreteren als een geraffineerd aanzoek, Herr Polizeioberrat?'

De jonge politieagent zag tot zijn genoegen zijn collega blozen. Ook hij was klaarblijkelijk niet immuun voor haar verwarrende schoonheid.

'Ik bedoel, woont hier nog iemand die we een interview kunnen afnemen?'

'Mijn butler, Herr Müller, maar dat bedoelt u waarschijnlijk niet.'

De fotograaf lachte plagend naar de politieagent, stond op en zei: 'Nee, Herr Polizeioberrat, laat ik ernstig blijven, ik ben de bewoner en eigenaar van dit pand en doe niet aan onderverhuring. Heb ik zo voldoende op uw vragen geantwoord?'

De beide politieagenten veerden mee op, dankten uitvoerig en verontschuldigden zich nogmaals voor hun onverwachte bezoek.

*

Ignatz hield ervan om af en toe, diep in de nacht, als Wenen sliep, in de Jesuietenkirche te mediteren. Hij dacht dat dit een goed bewaard geheim was, tot vanmorgen, toen Wolf het niet nodig had gevonden om hem een sleutel te geven om de kerk te sluiten. Wat weet Wolf eigenlijk niet, dacht hij.

Hij glipte de kerk binnen, wachtte tot zijn ogen gewend waren aan de duisternis en liet zich toen, zoals altijd, als een mot naar het licht, naar het rode godslampje voor het tabernakel zuigen. Hij knielde op de voorste bank.

Maar vannacht waren de duisternis en de stilte geen warme mantel die hij rond zich kon wikkelen. Hij zag bewegende schaduwen in de duisternis en hoorde vreemd gefluister in de stilte. Hoorde hij daar Hans niet roepen in de donkere muil van de biechtstoel?

'Heer, geef me de kracht', zei hij en hij begroef zijn gezicht in zijn handen.

Na een tijdje besteeg hij de trappen van het hoofdaltaar, hief een voor een de zes zware, bronzen kandelaars van het altaar en bracht ze naar de crypte. Ignatz plaatste ze rond de lange houten tafel waar hij vanmorgen Hans op had gelegd. Hij had Hans toen al uitgekleed omdat hij voorzag dat de rigor mortis van zijn vriend in deze kille kelder lang kon duren. Gestolde eiwitten in het spierweefsel, had Von Graff hem geleerd. Hij nam de opgerolde handdoek onder Hans' kin weg en zag dat zijn mond mooi gesloten bleef. Het leek zelfs alsof er een zachte glimlach rond zijn mond speelde, zoals zo vaak als ze samen waren.

Met een ingehouden snik draaide hij zich om en beende

naar de sacristie waar hij het water luid in het wasbekken liet kletteren. Hij nam twee handdoeken uit de kast, legde ze over zijn arm en ging met het volle wasbekken voorzichtig naar beneden.

Op het tafeltje naast Hans Fröhlich had Ignatz alles uitgestald, ook de zwachtels, het scheergerei, de zeep uit het porseleinen zeepbakje van zijn groottante en het zalfkruikje met de geurende olie, die hij van thuis had meegebracht. Hij haalde diep adem en plooide heel voorzichtig de altaardwaal, waar hij Hans voorlopig mee bedekt had, naar achter. Hoewel hij ervoor gezorgd had dat de altaardwaal Hans' wonden zo weinig mogelijk raakte, kon hij nu niet verhinderen dat het vlees meescheurde omdat het doek in de twee diepe borstwonden plakte. Ignatz' gezicht vertrok in een pijnlijke grimas, ook al wist hij dat Hans niets meer voelde.

Ignatz maakte zijn wonden schoon en verbond ze. Hij zag dat het purperblauw rond Hans' nek zich aan de randen van de diepe voor nog verder had uitgebreid, vooral aan de zijkanten. Hij nam de witte zijden halsdoek die hij van zijn Shaolinmeester Ta Mo had gekregen, uit zijn rugzak en knoopte die rond de gehavende hals van Hans. Veel beter, dacht hij en hij begon met het wassen van Hans' lichaam.

Toen hij de wasbleke rechterhand oppakte, zag hij de inktvlekken op Hans' vingers. Nog altijd Bleu Pervenche van Herbin, dacht hij, de inkt die ik je ooit cadeau heb gedaan. Hij voelde een traan langs zijn wang rollen en duwde met al zijn wilskracht de opkomende woede weg.

Help me, Hans. Help me mijn woede te temperen.

Ignatz goot wat olie uit het aarden zalfkruikje in zijn

hand en wachtte tot die warm genoeg was om goed uit te smeren.

Geef me de kracht om je moordenaar ooit te vergeven.

Ignatz legde zijn beide handen teder rond het hoofd van Hans en wreef langzaam en geconcentreerd de geurende olie uit over zijn marmerwitte gelaat. En nu zag hij het weer, in het flakkerende licht van de kaarsen: Hans glimlachte om zijn vurige temperament.

ACHT

Ignatz wandelde langs de Donau, die zijig in het maanlicht glansde. Dat deed hij altijd als hij onrustig was. Het was al woensdagochtend en nog had de jacht op de kunstenaar-lustmoordenaar, die nu waarschijnlijk op zoek was naar zijn volgende slachtoffer, niets opgeleverd. Af en toe verschenen er donkere cirkels aan het oppervlak, sporen van gaslozingen in de onderbuik van de rivier, maar hij keek er niet naar.

Hij maakte zich zorgen om Bubi. Onmiddellijk na het bezoek aan Schiele had hij Frau Gelb gecontacteerd. Die had Bubi zondagmiddag zien langsdartelen en daarna niets meer. Als zelfs Frau Gelb niet wist waar Bubi zat, dan beloofde dat niet veel goeds. In gedachten schopte hij tegen een deur en toen die het krakend begaf, stormde hij het huis binnen, vond Bubi, die naar hem toe rende, en sloot haar veilig in zijn armen. Ik ben doodop, stelde hij vast, dan geloof ik in sprookjes.

Hij had hard gewerkt gisternacht. Wolf had hem op het hart gedrukt om geen sporen achter te laten die naar de Jesuietenkirche zouden kunnen leiden. Daar had hij voor gezorgd. En hij hoopte dat hij geen enkel risico had gelopen door Mizzi's hoofd te deponeren in de Frauenklinik, op de afdeling pathologische anatomie, tussen de vele andere preparaten in formol. Goed, wat gebeurd was, was gebeurd.

Intussen was Ignatz in de Judengasse beland. Vier uur, dacht hij, hopelijk ben ik moe genoeg om een uurtje te slapen, en hij opende de voordeur. Hij merkte meteen de twee mannen op die probeerden zich in het halfduister te verschuilen. Ignatz sprong naar degene die het snelst op hem afkwam en gaf hem een voorwaartse trap. De schaduw werd naar de liftkooi geslingerd en zeeg daar ineen. Ignatz pivoteerde nu op zijn linkerbeen en maakte met een ronde trap korte metten met de tweede, die alleen nog een verwonderd 'O' kon uitbrengen om vervolgens ineen te zakken.

Daarna bleef alles stil.

Na een paar ogenblikken draaide Ignatz aan de lampballon, naast de voordeur, en het licht floepte aan. Twee verfrommelde agenten lagen in de vestibule. Ignatz wist dat hij nu écht in nesten zat. Voorzichtig naderde hij de man die bewusteloos tegen de liftkooi lag en pakte de portefeuille uit de binnenzak van zijn regenjas. 'Inspecteur Karl Josef Weinwurm', las Ignatz. Hij ging naar de andere man, pakte zijn portefeuille: 'Theodor Spielvogel, politiebeambte eerste klas'.

Het kan niet dat iemand me Hans heeft zien afleggen. De Jesuietenkirche was afgesloten en de aanwezigheid van ieder ander zou ik gevoeld hebben. Is het omdat ik gezien ben met Von Graff op de dag van de moord? Dat kan toch geen reden zijn om me midden in de nacht lastig te vallen. Heeft iemand me gisternacht de Frauenklinik zien binnengaan? Niet uit te sluiten.

Ignatz maakte snel de balans op: vluchten of onderduiken heeft geen zin. Dat lijkt te veel op een schuldbekentenis. Maar wat het ook is: ik moet me eruit praten, ik moet in Wenen kunnen blijven.

Hij keek naar de blinkende laarzen van de inspecteur.

De gevolgen aanvaarden. Een kwestie van hooguit een paar dagen op de tanden bijten, de schade beperken en met mijn verklaringen zo dicht mogelijk bij de waarheid blijven. Erger dan de Spaanse inquisitie kan het in ieder geval niet zijn, dacht hij. Hij liet zich tegen de muur neerzakken en wachtte.

Inspecteur Karl Josef Weinwurm reikte naar zijn achterhoofd, de ogen gesloten, het gezicht vertrokken van pijn. Voorzichtig opende hij zijn ogen en zijn blik verstarde toen hij Ignatz zag. Zijn kin schoof een paar centimeter naar voren om de Habsburgse krijgshaftigheid te accentueren en zijn hoofd nam langzaam de kleur van gekookte kreeft aan, wat mooi contrasteerde met zijn brede, bruine bakkebaarden.

'Herr Ksaveri Ignatz von Oszietsky, op persoonlijk bevel van Herr Hofrat Siegfried von Recht arresteer ik u én klaag ik u aan voor verzet met geweld tegen een hoge politieambtenaar in functie en zijn adjudant.'

Inspecteur Weinwurm hees zich bij die woorden op aan de tralies van de liftkooi en probeerde zijn evenwicht te bewaren.

Niet gewend te incasseren, dacht Ignatz.

'Neem me niet kwalijk, Herr Oberinspektor Weinwurm, maar mag ik het arrestatiebevel zien?'

De inspecteur wankelde naar Ignatz en bleef vlak voor hem staan. Hij was nu purper aangelopen.

Gedrevener dan goed voor hem is, dacht Ignatz.

'Aha, Herr Von Oszietsky wil het juridisch spelen. Herr Von Oszietsky heeft lafhartig van de gelegenheid gebruikgemaakt om een keizerlijk ambtenaar, in duidelijke staat van onmacht, zijn identiteit te ontfutselen, stel ik vast. Welnu, dan klaag ik Herr Von Oszietsky ook nog aan voor onrechtmatig invasief gedrag in de burgerkledij van een wetsdienaar in functie van Zijne Keizerlijke en Koninklijke Apostolische Majesteit.'

Weinwurm, die zich nu helemaal aan de lianen van de bureaucratische vaagtaal had weten op te trekken, spuwde in Ignatz' gezicht: 'Gaat Herr Von Oszietsky mee of moeten we geweld gebruiken?'

Ignatz keek beleefdheidshalve niet naar Spielvogel, die nog altijd uitgeteld op de vloer lag.

'Geweld lost zelden iets op', zei Ignatz.

'Goed. Daar kunnen we het in de Schottenring 11 nog uitgebreid over hebben en dan zien we meteen of mijn collega's ook de mening van Herr Von Oszietsky zijn toegedaan.'

*

De zwartglanzende schubben van de Schönlantarngasse, die er uitgestorven bij lag, weerkaatsten het elektrische lantaarnlicht. Een man – rechtopstaande kraag, hoed diep over de ogen getrokken – spoedde voorbij en ging de Jesuietenkirche binnen. Het was woensdag 12 maart, half zes 's morgens.

Provinciaal overste Wolf was een half uur te vroeg voor zijn afspraak, maar hij wilde nadenken over de te volgen strategie en controleren of alles in de crypte in orde was. De schoonmaakploeg had gistermorgen snel en goed werk geleverd: alle sporen van de moord waren verwijderd. Het hoofd van het Mariabeeld hadden ze teruggevonden in de doopvont, tussen drijvende kunstbloemen. Gelukkig had de Sociëteit geen gebrek aan Mariabeelden. Wolf vroeg zich af of Ignatz nog nieuws had. Hij verbergt iets voor me. Maar eerst Hans.

De stalen deur van de crypte ging moeiteloos open. Ignatz zal meteen ook de scharnieren hebben gesmeerd. Hij knipte het elektrische peertje aan. Voor hem stond, als katafalk, een grote eiken tafel. Wolf glimlachte toen hij het lijkkleed zag: blauwgroen in de plaats van zwart. Ignatz' bedsprei. Wolf herinnerde zich hoe Hans, een paar jaar geleden, zijn zending naar Ierland had aanvaard, ook al droomde hij van een opdracht aan de universiteit van Berkeley, vlak bij de blauwgroene Stille Oceaan, waar hij tijdens zijn stage verliefd op was geworden.

Voorzichtig vouwde Wolf de aquamarijnen bedsprei naar achter, tot voorbij de albasten, gevouwen handen van zijn medebroeder. De eenvoud van Hans' voor altijd gestolde gebaar ontroerde Wolf meer dan hij wilde toegeven.

Eenvoud en overgave, daar was je goed in, Hans. De kunst om niet onmiddellijk in te grijpen maar geduldig te wachten tot het juiste moment gekomen was, dat was je grote kracht. Nooit fatalistisch maar vanuit een fundamenteel vertrouwen.

Wolfs ogen gingen nu naar het gelaat van Hans.

Hoe sereen, alsof je jarenlange omgang met het spirituele je een diepe, innerlijke glans heeft gegeven.

Wolf staarde naar het glanzend witte sjaaltje dat de diepe wonde verborg.

Of maak ik dit mezelf wijs om met de gruwelijke werkelijkheid om te kunnen gaan?

Nog even bleef hij voor de katafalk staan, ging toen naar zijn medebroeder, gaf hem een kruisje en dekte hem daarna heel voorzichtig toe.

'Rust in vrede, Hans.'

Hij doofde het licht, sloot de crypte veilig af en ging naar boven, naar zijn afspraak.

Een oefening in nederigheid, dacht Wolf, terwijl hij in de biechtstoel op Ignatz wachtte. Zie mij hier zitten, de meester-strateeg. Volledig van de kaart door één verrassingsaanval.

Wolf zag weer het gezicht van broeder portier voor zich, die hem in het holst van de nacht, volledig in paniek, wakker had gebeld. Het ratelde uit broeder portiers mond: dat hij eerst niet ongerust was geweest, dat pater Fröhlich wel vaker nableef om te bidden, maar dat pater Fröhlich dan altijd het licht uitdeed en dat hij het deze keer niet had gedaan, dat hij het misschien had vergeten, dat hij misschien verstrooid was geweest, dat dat toch iedereen kon gebeuren, zelfs de besten en dat hij daarom, voor alle zekerheid, en zeker niet om pater Fröhlich op iets te wijzen, om twee uur de kerk was binnengegaan en daar iets had gezien wat te vreselijk was voor woorden. Wolf herinnerde zich nog dat hij dacht: bondigheid en iets minder drama zouden welkom zijn. Hij had de man gekalmeerd en op het hart gedrukt hier met niemand over te spreken. Daarna had hij zich naar de Jesuietenkirche gespoed, beheerst, daadkrachtig, alles onder controle. Tot hij Hans zag.

Wolf schoof ongemakkelijk over de houten zitbank.

Zoals zo vaak de afgelopen uren, voelde hij hoe vragen hem leken te bestormen en de burcht van zijn innerlijke rust dreigden in te nemen. Waarom Hans? Waarom hier in de kerk? Waarom de preekstoel? Waarom die enscenering? Wie was het meisje? Wie moest ze voorstellen? Wie moest Hans verbeelden? Waarom? Waarom? Waarom?

Hans liet zich vroeger vaak door Ignatz op sleeptouw nemen, daarom had hij hen trouwens uit elkaar getrokken: Hans naar Ierland gestuurd, Ignatz naar China. Had Ignatz Hans meegesleurd in een of ander avontuur, waarvan hij de gevolgen niet had overzien?

Wolfs ongeduld groeide. Je hebt me heel wat uit te leggen, Ksaveri, waar blijf je?

Hoelang hadden Hans en Ignatz elkaar niet meer gezien? Vijf jaar? Sinds 1909, toen hun medebroeder George Tyrrell op sterven lag, ziek van verdriet omdat hij uit de orde was gestoten. Een verkeerde beslissing van de generaal, vond Wolf, genomen onder druk van het Vaticaan. Nooit martelaars maken, was Wolfs devies want martelaars is onrecht aangedaan en onrecht roept om gerechtigheid.

Hans en vooral Ignatz droegen Tyrrell op handen en bazuinden het onrecht uit. Dat had kwaad bloed gezet bij de ultraconservatieven. Maar daarom Hans vermoorden, vijf jaar na dato? Onwaarschijnlijk, daarvoor was Hans te onbelangrijk en de moord te theatraal.

Wolf hield het niet meer uit in de biechtstoel, gooide het deurtje open en ijsbeerde, schijnbaar verdiept in zijn brevier, in de zijbeuk van de kerk. Ignatz kwam nooit te laat op een afspraak.

Ik wacht nog vijf minuten. Zijn gedachten maalden verder.

Hij sloot zijn brevier en ging naar de sacristie om zich om te kleden. Afwachten had niet langer zin. Wolf besloot het initiatief te nemen.

Een lichte mist greep met fijne klauwtjes in de grijze stof van Wolfs werkkledij. Het was nog stil in de Judengasse en niemand zag hoe Wolf, vermomd als elektricien, snel de voordeur van het appartementsgebouw op de hoek opende. Hij glipte naar binnen en stond enkele ogenblikken doodstil in het portaal. Geen beweging. Hij knipte het licht aan en speurde de hal af. Zijn blik haakte zich vast aan het onderste traliewerk van de liftkooi. Een bloedvlek, half gestold, recent, niet langer dan een paar uur geleden vergoten. God, laat het niet waar zijn. Zijn hart werd koud als ijs.

Wolf deed het licht in de hal uit, repte zich naar de eerste verdieping, opende met de loper het slot van Ignatz' appartement en ging naar binnen. Even leunde hij met zijn voorhoofd tegen de deurlijst en hoopte, tegen beter weten in, dat Ignatz zich verslapen had.

Kon ik de klok maar terugdraaien, daar heb ik gerust nog een paar gekneusde ribben voor over.

Wolf draaide zich om en zag niet wat hij gevreesd had – een bloederig tafereel – maar alleen een leeg en onbeslapen bed. Hij reconstrueerde: Ignatz was in het holst van de nacht thuisgekomen en werd overvallen. Werd hij ontvoerd? Nee, er was geen ravage beneden. Hij moet zijn meegegaan. Met wie? Waarom? Wat was hij op het spoor? Stel dat Ignatz is meegegaan, gedwongen of niet gedwongen, dan heeft hij zeker iets achtergelaten. Hij weet dat ik hem zal komen zoeken.

Wolf ging weer naar beneden en zette zijn gereedschapskist vlak naast de liftkooi. Een defecte lift, het perfecte excuus voor iedere toevallige bezoeker. Zijn ogen dwaalden over de planten, de marmeren beelden, de gietijzeren radiator ... Hij glimlachte en hoorde het zichzelf nog zeggen tijdens Ignatz' opleiding tot spion: 'De achterkant van een radiator, je zou ervan versteld staan hoe weinig speurders die onderzoeken.'

Wolf bukte zich, tastte wat rond en vond een minuscuul briefje met daarop het Romeinse cijfer iv. Codetaal voor 'arrestatie'. De politie was hen op het spoor. Hans moest zo vlug mogelijk in veiligheid worden gebracht, maar eerst naar boven, compromitterend materiaal laten verdwijnen. Onvoorstelbaar dat de politie Ignatz' appartement nog niet had doorzocht. Zulke laksheid bleef hem verbazen.

Wolf liep met zijn gereedschapskist snel naar Ignatz' appartement en nam de kamer nauwgezet in zich op.

Een nieuw schilderij van Schiele, *De Danser*. Wolf bekeek de achterkant. Niets.

Op de salontafel lagen twee stapels kranten en tijdschriften. Nog te lezen, wist Wolf, die ook altijd met stapels lectuur worstelde. Tussen de recente tijdschriften lag een beduimeld exemplaar van de *Weekly Register*, december 1899. Wolf bladerde het fameuze nummer door,

waarin Tyrrell met zijn vlijmscherpe pen tekeerging tegen de Kerk omdat ze de hel gebruikte als methode om
bange, gehoorzame gelovigen te kweken. De onderste
steen kwam boven toen zijn essay 'A Perverted Devotion'
werd gepubliceerd. Wolf las de tekst, onderstreept door
Ignatz: 'Het is onmogelijk dat een God, die het lijden en
de zonden van de mensheid op zich heeft genomen, de
zondaar voor eeuwig straft met de hel.' En dan de tekst,
aangemerkt met drie kruisjes: 'Een zeker "gematigd ag-
nosticisme" ten aanzien van de voorschriften van het ka-
tholicisme in zaken als de hel, is dus een eerste vereiste
voor een intelligente geloofsbeleving.' Geen wonder dat
de ultraconservatieve katholieken zo gebeten zijn op de
Tyrrell-volgelingen. Als je die lui de hel afpakt, dan zijn
ze het noorden kwijt.

Wolf rolde het nummer van de *Weekly Register* op en
stak het in zijn gereedschapskist. Je weet nooit wie hier
nog op bezoek komt. Zijn blik viel op een artikel van de
Neue Freie Presse. Iets over de moord op Von Graff. De
gedachte die bij hem opkwam leek absurd, maar Wolf had
in zijn lange loopbaan met de meest vreemde en verrassende motieven te maken gekregen. Geen enkele theorie
mocht uitgesloten worden voordat de onmogelijkheid ervan bewezen was. Ook hier zag hij een patroon: Erwin
von Graff, Ignatz' ex-professor, pleegde abortussen in de
Frauenklinik en Hans Fröhlich was een Tyrrell-apostel.
Allebei gruwelijk vermoord. Stel dat de ultraconservatieven hier tóch achter zouden zitten, dan was ook Ignatz
gezien.

Wolf voelde zich wegzakken in de modder van de speculatie en nam de *Neue Freie Presse*, vouwde die open op

het tapijt en kiepte er Ignatz' bijna lege papiermand op uit. Een papiersnipper trok zijn aandacht: 'Hooggeachte heer Kinsky'. Hij verzamelde zonder moeite de andere stukjes van de brief want het was luxepapier: crème velijn, met watermerk en scheprand. Noblesse oblige.

Geroutineerd legde Wolf de puzzel. Eerst alle stukjes met de gladde kant naar boven, dan de hoeken, dan de randen en de rest wees zichzelf uit.

Zijn ogen vlogen over de tekst.

Wenen, 10 maart 1914

Hooggeachte heer Kinsky,

Tot mijn grote spijt moet ik u meedelen dat ik uw dochter Bérénice niet langer kan behandelen.
Na een half jaar intense therapie blijft ze een raadsel voor me. Zij is de enige patiënte met wie ik totaal geen contact krijg. Ik heb het advies van eminente confraters gevolgd, maar vergeefs, ik boek geen stap vooruitgang. Integendeel. Ik vrees dat uw dochter zich in toenemende mate verzet tegen mijn aanpak, waarbij ik haar een spiegel voorhoud.
Het is, om haar bestwil, niet langer zinvol om de behandeling voort te zetten. Ik voed met mijn therapie haar woede en weet niet waartoe die diepe woede leiden kan. Volgens mij is het gevaar niet denkbeeldig dat haar agressie kan ontaarden, wat gevaarlijk kan worden omdat ze – ik spreek me pas na rijp beraad zo categorisch uit – weinig tot geen moreel besef heeft.
Hopelijk vergis ik me wat dit laatste betreft en zie ik

de toestand van uw dochter te zwart in, maar de eer-
lijkheid gebiedt me u toch van mijn bevindingen op de
hoogte te brengen.

Hoogachtend,
Ksaveri Ignatz von Oszietsky.

Verbijsterd staarde Wolf naar de brief.

Hij herlas het nog eens: 'Weinig tot geen moreel besef ... haar agressie kan ontaarden.' Als Ignatz zoiets
schreef dan moest hij zeer zeker zijn van zijn diagnose.
Waarom had Ignatz zijn brief niet verstuurd of in zijn
dossier gestoken? Omdat hij zich als therapeut nog niet
gewonnen wilde geven? Omdat hij Bérénice nog een laatste kans wilde geven? Omdat hij weigerde te berusten in
het feit dat Bérénice niet geheeld kon worden?

Wolf sloot zijn ogen.

De vader van Bérénice, graaf Kinsky, had hem, zijn
biechtvader, in vertrouwen gezegd: 'Eerwaarde, mijn
dochter Bérénice heeft geestelijke problemen.' Wolf had
hem Ignatz aanbevolen, als therapeut. Terwijl hij geen
enkel idee had van de aard of de ernst van de psychische
problemen van Bérénice. Ignatz, zo had hij geoordeeld,
was mans genoeg om dit op te lossen.

Wolf raapte de briefsnippers bijeen, stak ze in de zak
van zijn werkmanspak en wist dat hij hier niets meer te
zoeken had. Hij schreef snel een bericht, plakte dat aan de
deur van Ignatz' appartement en haastte zich naar buiten.

*

Het was vochtig en koud in de kelders van de Schotten-ring en een penetrante geur van kots en angstzweet vulde de gangen. Ignatz lag naakt op de brits in zijn cel. Hij had erover gelezen en het klopte: naaktheid degenereert. Alsof een schil van kleren mij bescherming zou kunnen bieden, dacht hij.

Hij hoorde ze al van ver. Een horde opgefokte mannen, op weg naar verboden vertier. Heer, laat deze kelk aan mij voorbijgaan.

Het gebons op de deur weerklonk als donderslagen in de betegelde gang.

'Herr Von Oszietsky, hoog bezoek voor u.'

Ignatz herkende de stem van inspecteur Weinwurm, die, ondersteund door het koor van zijn ondergeschikten, duidelijk aan klankkleur en toonvastheid had gewonnen. Luid gelach drong tussen de arduinen vloer en de stalen deur naar binnen.

Toon je angst niet, sprak Ignatz zichzelf moed in bij het horen van de rammelende sleutelbos, maar het klamme zweet brak hem uit.

De deur vloog open en zes mannen verdrongen zich in Ignatz' cel. Inspecteur Weinwurm stond in de deurope-ning, armen gekruist, benen ver uit elkaar.

'Goedemiddag, Herr Von Oszietsky. Alles naar wens?'

Ignatz rook een mengeling van mannenzweet, zuurkool, bier en worst en kwam overeind. Onmiddellijk maakten de zes mannen een kring om hem heen. Hun instructies waren duidelijk en gehoorzamen was hun devies.

'Of wil Herr Von Oszietsky al meteen een klacht voor huisvredebreuk indienen?'

Een breedgeschouderde politieman duwde Ignatz naar

een collega die, breed grijnzend, hem weer naar een andere agent duwde. Ignatz onderging de vernedering.

'Wat zei u deze morgen ook weer, Herr Von Oszietsky? Dat geweld geen oplossing was?'

Een zelfgenoegzaam lachje speelde rond Weinwurms mond.

'Sta ons toe u van het tegendeel te overtuigen.'

Weinwurm knikte naar de kleinste van de mannen die een korte, eiken stok tevoorschijn toverde en het wapen met een snelle zwaai op Ignatz' linkerknie liet neerkomen. Iets kraakte. Ignatz hoorde een schreeuw, zakte op de grond en besefte toen pas dat de rauwe gil uit zijn mond kwam.

Even werd het stil in de cel maar daarna ramden de zes politiemannen op Ignatz in.

Gelukkig alleen met vuisten en laarzen, dacht Ignatz nog terwijl hij zich in foetushouding rolde en zo goed en zo kwaad als het ging zijn hoofd beschermde. Hij vluchtte in de lange, zwarte tunnel die hij voor zich zag.

*

AFWEZIG WEGENS PERSOONLIJKE REDENEN.
KSAVERI IGNATZ VON OSZIETSKY

Vol ongeloof las Elisabeth het bericht dat aan de deur van Ignatz' appartement hing. Het was elf uur, ze hadden hier afgesproken en Ignatz ondertekende zelden met zijn volledige naam. Iemand anders had dit bericht opgehangen. Dat zag ze aan het handschrift.

Ze plukte de zelfontworpen haarspeld uit haar opgestoken kapsel, opende er geroutineerd de deur van Ignatz' appartement mee en sloot die vervolgens achter zich. Elisabeth bleef staan om alles in zich op te nemen. Het bed, onbeslapen. *De Danser* van Schiele, enkele centimeters verder van het raam verwijderd dan voordien. In het midden van het Perzische tapijt, potloodslijpsel. Iemand was haar voor geweest.

Elisabeth ging naar de papiermand, nam er twee enveloppen uit, één die bovenaan lag en één op de bodem en vergeleek de datum. Ze viste nog een paar enveloppen uit de prullenmand, vooral rekeningen, en vergeleek ligging en datum.

Onderaan lagen de meest recente enveloppen en bovenaan de oudste. Nu wist ze het zeker: de inhoud van de papiermand was midden op het tapijt uitgekiept – vandaar ook het potloodslijpsel – en daarna weer in het mandje gegooid. Onzorgvuldig werk, een amateur. Wat zocht die insluiper?

Elisabeth voelde zich onrustig worden. Het was net of een donker dier op haar rug was gesprongen en in haar nek hijgde. De stank uit zijn bek zoog zich in haar vast en ze wist: het gaat niet goed met Ignatz.

Iemand belde aan.

Elisabeth verliet Ignatz' appartement.

De bel ging voor de tweede keer, drie keer achtereen nu.

Elisabeth liep de trappen af. Het bleef stil in het appartementsgebouw, iedereen was naar het werk. Toen de bel voor de derde keer ging, heel lang en opdringerig, opende ze de voordeur en zag Bérénice, verwaaid en verrast om Elisabeth te zien.

Elisabeth liet Bérénice binnen.

'Hij is er niet', zei ze.

'Ik heb hem nodig.'

Elisabeth glimlachte.

Gewend om op haar wenken bediend te worden, dacht ze.

Bérénice voelde een steekvlam van haat in zich oplaaien.

'Er hangt een briefje aan de deur van zijn appartement.'

'Kan ik een afspraak maken?'

Elisabeth zuchtte. De oude vrouwentruc, me degraderen tot zijn secretaresse en dan hopen dat ik me beledigd voel.

'*Afwezig wegens persoonlijke redenen*, staat erop.'

'Wanneer komt hij terug?'

'Zo snel mogelijk, hoop ik.'

Bérénice' zwarte, uitdrukkingsloze ogen dwaalden de vestibule rond en bleven bij de liftkooi hangen.

'Wat is dat?'

Elisabeth volgde Bérénice, die op haar knieën gevallen was bij de liftkooi, en zag het nu ook. Ze huiverde.

'Bloed! Geklonterd bloed!' riep Bérénice, die als een bezetene over het half gestolde bloed wreef. Ze rook met gesloten ogen aan haar hand om daarna walgend haar handen schoon te vegen aan haar rok.

'Weg, vervloekte vlek! Weg, zeg ik!'

Bérénice riep het alsmaar luider.

'Ik wil naar huis, naar huis.'

Bérénice klampte zich aan Elisabeth vast.

Hysterie. Decorumverlies. Onwillekeurig vroeg Elisabeth zich af of het echt was of theater.

'Ik kan het niet alleen. Help me.'

Elisabeth aarzelde.

'Ik smeek het u. Kom met me mee.'

Elisabeth maakte snel de afweging: als ik weiger duurt het een eeuwigheid om haar af te schudden. Als ik haar naar huis breng, kan ik verder op zoek naar Ksaveri.

'Goed. Maar geen scènes in mijn auto.'

Samen liepen ze naar Elisabeths roomwitte Minerva, die op de Hoge Markt geparkeerd stond.

NEGEN

'Exzellenz, u neemt me de woorden uit de mond', zei inspecteur Karl Josef Weinwurm terwijl hij zweetdruppels langs zijn slapen in de opstaande kraag van zijn praaluniform voelde glijden. Hij had een uitbrander verwacht omdat ze Von Oszietsky – toch iemand van adel – zo hard hadden aangepakt, maar Hofrat Von Recht bleef de minzaamheid zelf.

'Dus, als ik het goed begrijp, Herr Weinwurm, redde u vanochtend, met gevaar voor uw eigen leven, uw adjudant Herr Spielvogel van een gewisse dood.'

'Zo kunt u het stellen, Exzellenz.'

Von Recht las verder in het politieverslag.

'En overmeesterde u Herr Ignatz von Oszietsky nadat hij, plotseling en zonder u vooraf te verwittigen, Herr Spielvogel had neergeslagen.'

'Laffelijk in de rug had aangevallen, Exzellenz.'

De Hofrat wreef over zijn sneeuwwitte bakkebaard. Uiteraard geloofde hij geen jota van Weinwurms verslag, maar Weinwurms fantasieverhaal kwam hem goed uit omdat het hem een reden verschafte om Von Oszietsky te ondervragen zonder pottenkijkers erbij. Eerst bekentenissen afdwingen, daarna kan ik Elisabeth von Thurn op de hoogte brengen van het nieuws.

'Goed dat we de moordenaar zo vlug te pakken hebben, Exzellenz.'

Weinwurm zei dit meer om zichzelf te overtuigen dan om de Hofrat te plezieren, want het bleef hem intrigeren waarom Von Oszietsky niet meteen was gevlucht.

'Ik wil waterdichte bewijzen, Herr Weinwurm, en wel zo snel mogelijk. Een bekentenis alleen volstaat niet voor mij.'

'We werken de klok rond, Exzellenz. Ik heb al mijn manschappen gemobiliseerd.'

'À propos, Herr Weinwurm, er is iets wat ik niet begrijp. Iets over de chronologie van het gevoerde onderzoek.'

Het werd stil in de kamer. Weinwurm keek op naar het portret van de keizer zoals een gelovige naar het beeld van Maria Middelares.

'Dinsdagmorgen om zeven uur krijgt u een cruciale tip die Herr Ignatz von Oszietsky als hoofdverdachte voor de moord op een jong meisje aanwijst. U arresteert hem eenentwintig uur later, in het holst van de nacht, en brengt mij hiervan pas vanmiddag op de hoogte. Wat is hier gaande?'

Weinwurm vervloekte Spielvogel, die zich dinsdagmorgen op het bureau had afgemeld zonder ervoor te zorgen dat de tip, die hij tijdens zijn dienst had binnengekregen, onmiddellijk werd nagetrokken.

'We wilden geen argwaan wekken, Exzellenz.'

'U wilde Herr Ignatz von Oszietsky op heterdaad betrappen en hebt hem daarom eenentwintig uur zijn gang laten gaan. Begrijp ik dat goed, Herr Weinwurm?'

Mijn uniform zit te krap, dacht Weinwurm. Het is hier te warm, ik krijg geen lucht meer.

Hoe had Spielvogel zich ook alweer verdedigd? Dat alle patrouilles uitgerukt waren voor buurtonderzoek, dat hij hun uurschema niet overhoop wilde gooien, dat hij geen hommeles met hen wilde krijgen en dat hij veel te moe was om een verzoek tot huiszoeking in de Frauenklinik in vijfvoud aan te vragen en daarna door drie van zijn superieuren te laten ondertekenen.

'U mag van geluk spreken dat Herr Ignatz von Oszietsky niet met de noorderzon vertrokken is, dat beseft u toch, Herr Weinwurm?'

'Zeker, Exzellenz. Het zal niet meer gebeuren, Exzellenz.'

Een discrete klop op de deur onderbrak het gesprek, een bediende in livrei kwam binnen en fluisterde iets in het oor van de Hofrat. De Hofrat knikte, de bediende verdween geruisloos langs een andere deur en de Hofrat sloot het politierapport.

'Herr Weinwurm, ons onderhoud is afgelopen. Ik wil nu Herr Ignatz von Oszietsky, net terug uit de ziekenboeg, ondervragen. Om zijn vertrouwen te winnen, kaffer ik u uit, wat me niet veel moeite zal kosten, en verontschuldig me uitgebreid voor de onheuse behandeling waarvan hij slachtoffer was. Begrepen?'

'Absoluut, Exzellenz. Ik sta volledig te uwer beschikking, Exzellenz.'

*

Voor het eerst in zijn leven waren Ignatz handboeien aangelegd en hij wist niet waarom. De zware ketting trok zijn lichaam naar beneden terwijl hij de indruk had dat zijn bewakers, die hem als sierplanten flankeerden, alsmaar groeiden. Het effect van vernedering, besefte hij.

In de kamer ernaast hoorde Ignatz een merkwaardig duet. De verkeerde rolbezetting, viel hem meteen op: een angstige, timide bariton, die langzaam maar zeker door een steeds luider roepende tenor werd overschreeuwd. Een stoel schoof luid naar achter. De sierplanten bewogen niet.

De deur vloog open en een man in pronkuniform, inspecteur Karl Josef Weinwurm, deze keer donkerpaars aangelopen, haastte zich naar buiten, vergeefs dekking zoekend voor het bombardement van sarcasme door de Hofrat.

Ignatz had de neiging zijn voet naar voren te schuiven om Weinwurms afgang in schoonheid te laten eindigen maar beheerste zich. Die struikelt straks wel over zijn siersabel.

'En herschrijf deze parel van een politieverslag', riep de Hofrat Weinwurm achterna.

'Geen verzinsels maar deductie, en als het woord "deductie" uw begrip te boven gaat, denk dan logisch na, een hoogst vermoeiende bezigheid voor u, die u trouwens ook mag uitbesteden.'

Weinwurm vermeed het naar de zwaar toegetakelde Ignatz te kijken en haastte zich naar buiten.

'Mijn excuses, Herr Ignatz von Oszietsky. Mijn oprechte excuses voor wat Herr Weinwurm u heeft aangedaan. Hij zal zijn straf niet ontlopen.'

Een korte knik van de Hofrat was voor de bewakers voldoende om Ignatz van zijn handboeien te bevrijden.

Dit spel hebben ze meer gespeeld, dacht Ignatz.

'Blijf hier wachten tot nadere orders, Herr Dagobert en Herr Eduard.'

En met een subtiele verschuiving in klankkleur vervolgde de Hofrat: 'Herr Ignatz von Oszietsky, mag ik u verzoeken mij te volgen naar mijn kamer?'

'Met genoegen, Herr Hofrat.'

Ignatz verborg zo goed mogelijk dat hij hinkte en ging, op verzoek van de Hofrat, zitten, er zorg voor dragend dat hij zijn stoel niet met zijn handen aanraakte. Tot nu toe had, bij zijn weten, niemand vingerafdrukken van hem genomen en zo wilde hij het houden.

De Hofrat keek naar Ignatz' handen en gebroken neus. Ze hebben hem goed te pakken gehad. Goed zo, daarmee is hij klaar voor het verhoor.

'Heeft de dokter u kunnen helpen, Herr Von Oszietsky?'

'Over de dokter heb ik geen klachten, Herr Hofrat.'

'De ambtenarij is niet meer wat ze geweest is, Herr Von Oszietsky. Vroeger was er respect, zeker voor mensen zoals u, maar tegenwoordig …'

De Hofrat nam ondertussen een dossier uit de stapel die op zijn bureau lag.

Een dun dossier, dacht Ignatz. Of is de rest van de inhoud op voorhand verwijderd?

'… dat slaat er maar op los als een straatbende en vergeet dat het Habsburgse Rijk een rechtsstaat is waar onder geen beding geweld getolereerd wordt.'

'Volledig met u eens, Herr Hofrat', zei Ignatz terwijl hij

de opkomende zwelling rond zijn oog betastte.

Een geslepen ondervrager, concludeerde Ignatz: good-will kweken om daarna des te harder toe te slaan.

'Een sigaar?'

De Hofrat schoof een zilveren sigarenetui over zijn bureau naar Ignatz.

'Nee, dank u Herr Hofrat, ik rook niet.'

'Of iets anders wat ik u kan aanbieden?'

De pijn in Ignatz' linkerknie was bijna niet te harden.

'U hebt me al te veel verwend, Herr Hofrat.'

Ignatz had laudanum geweigerd om alert te blijven bij de ondervraging en dat wreekte zich nu.

Zo weinig mogelijk spreken, hield Ignatz zich voor, laat de Hofrat het werk doen.

De Hofrat opende het dossier.

'Neem me niet kwalijk, Herr Von Os3ietsky, maar we moeten een aantal formaliteiten in acht nemen.'

'Uiteraard, Herr Hofrat, in een rechtsstaat spreekt dit voor zich. Ik verzoek u, gaat uw gang.'

Even meende Ignatz een rimpeling van ongenoegen op het voorhoofd van de Hofrat te zien verschijnen, maar misschien beeldde hij zich dat alleen maar in.

'Geboren in Wenen, 10 augustus 1884, als tweede kind van Anna Maria Elisabeth Ignatz, gestorven in het kraambed, en graaf Franz-Alexander Von Os3ietsky.'

Had de staatsveiligheid alleen deze gegevens, die iedereen zo uit het geboorteregister kon lichten, of wilde de Hofrat hem in slaap wiegen?

'Schoolcarrière, ik vat kort samen: privéonderwijs, op internaat in Clongowes Wood College S.J., County Kildare, wijsbegeerte, letteren en geneeskunde aan het Trinity

College Dublin, specialisatiejaren in Amerika, China en Wenen.'

Ignatz knikte.

'U bent een wereldburger.'

'Mijn vader gunde me een open kijk op de wereld, Herr Hofrat, dat klopt.'

Ignatz wist zelf niet waarom hij antwoordde. Elk woord te veel kon hem kwetsbaar maken. Zwijg, porde hij zichzelf aan. En in gedachten riep hij maxime 160 op:

160. Wees voorzichtig in het spreken.
Er is altijd nog tijd om een woord toe te voegen, nooit om er een ongedaan te maken. Spreek alsof je een testament schrijft: hoe minder woorden, hoe minder tweedracht. Het diepe geheim krijgt soms een bovenaardse glans.

'Het doet me plezier dat u uw vader nog altijd zo bewondert, Herr Von Oszietsky. Een standvastiger man als de graaf heb ik nooit ontmoet.'

De Hofrat streek de haren van zijn sneeuwwitte snor glad. Tot zover het voorspel.

'Herr Von Oszietsky, wat ik me afvroeg, voortgaande op uw persoonlijke dossier, heeft uw vader u nooit verweten dat u dood en verderf om u heen zaait?'

Ignatz, die even verrast was door de bliksemaanval, keek de Hofrat niet-begrijpend aan.

'Bij voorkeur bij uw zogezegde dierbaren?'

De pijn om Hans sneed door Ignatz' ziel.

'Kunt u wat preciezer zijn, Herr Hofrat?'

'Uw moeder: intelligent, mooi, amper drieëndertig jaar

oud ... Ze schenkt u het leven en als dank verwondt u haar zodanig dat ze doodbloedt.'

Het werd doodstil in de kamer.

'Uw vader kon alleen maar toekijken.'

Ignatz had jaren nodig gehad om zich over zijn schuldgevoelens heen te zetten. Dikwijls had hij gewenst dat híj in het kraambed gebleven was en niet zijn moeder.

'Mijn vader was een plichtsgetrouw man, Herr Hofrat.'

Ignatz zag hoe de Hofrat deed alsof hij in het dossier las: hij vergat zijn ogen over de regels te laten glijden.

'Uw oudere broer, Herr Von Oszietsky.'

Ignatz zweeg.

'U had een goede band met hem, lees ik hier. Ferdinand: sportief, intelligent, erfde de schoonheid van uw moeder ... Het moet niet gemakkelijk geweest zijn om naast zo'n talentrijke broer – het licht van uw vaders ogen – te moeten leven.'

'Het was een voorrecht, Herr Hofrat.'

De Hofrat taxeerde Ignatz. Zo koud als ijs. Was het omdat hij als zenuwarts wist hoe het menselijk brein werkte en hoe je kon beletten dat het evenwicht ervan werd verstoord? Of was hij gewoonweg doortrapt? De Hofrat besloot om de druk op te voeren.

'U was de laatste die Ferdinand levend heeft gezien, Herr Von Oszietsky. Wat zeg ik, u was de enige die erbij was toen hij van de bergtop viel, meer dan duizend meter diep.'

Ignatz hoorde weer die vreselijke kreet. En opnieuw reet die hem uiteen.

'Wie zegt mij dat u hem niet een handje geholpen hebt?

Een duwtje in de rug hebt gegeven?'

Ignatz concentreerde zich op de punt van het bureau.

'De bergtocht was een cadeau voor uw twaalfde verjaardag, van uw broer aan u. Herken ik hier geen patroon?'

De Hofrat kwam van achter zijn bureau en ging voor Ignatz staan, die voor zich uit bleef kijken.

'Wéér iemand die u een geschenk geeft en wéér iemand die dit met zijn leven moet bekopen.'

Ignatz slikte. Broertje, ze verdraaien ons verhaal.

'Heeft uw vader u dat nooit verweten?'

'Mijn vader was een edel mens.'

'Dat klopt.'

De Hofrat ging weer aan zijn bureau zitten en liet de stilte zijn werk doen.

'U weet net als ik dat uw vader stierf van verdriet. Een jaar na de dood van, of zal ik zeggen de moord op Ferdinand, uw broer.'

Ignatz hield zijn blik strak op het bureau gericht. Hij wilde niet dat de Hofrat de emoties in zijn ogen las.

'U was de nagel aan uw vaders doodskist, Herr Von Oszietsky, maar uw vader, de graaf, was te beschaafd om u dat ooit aan te wrijven.'

Ignatz sloot zijn ogen. Al wie hij liefhad, stierf veel te vroeg.

'Herr Ignatz von Oszietsky,' de stem van de Hofrat klonk nu vastberaden, 'waar was u eergisteren, in de nacht van 10 op 11 maart?'

De overgang was bruusk. Opzettelijk, wist Ignatz. Hij kende de techniek: zwaar op de emoties spelen om een ondoordacht of bezwarend antwoord af te dwingen. Ignatz zweeg. Het was de nacht waarin Hans vermoord was.

De Hofrat zag Ignatz' kaakspieren werken. Hij verbergt iets en ik wil weten wat het is.

'Ik herhaal mijn vraag, Herr Von Oszietsky, waar was u de nacht van maandag op dinsdag?'

De stem van de Hofrat klonk luid en beschuldigend, alsof hij het antwoord al wist.

Hopelijk heeft Wolf mijn briefje achter de radiator gevonden. Hans' lijk moet zo snel mogelijk uit de crypte.

'Zeg het maar, Herr Von Oszietsky. U zult zich beter voelen als u bekent.'

Ignatz bewoog niet. Als ik niet beweeg, verraad ik niets.

'Ik heb last van slapeloosheid, Herr Hofrat, en omdat in bed blijven liggen het alleen maar erger maakt, ga ik 's nachts vaak wandelen.'

'U was dus in de nacht van 10 op 11 maart aan het wandelen, Herr Von Oszietsky?'

De Hofrat trommelde met zijn vingers op zijn bureau.

'Dat is heel goed mogelijk, Herr Hofrat. Veel hangt af van het tijdstip waar u op doelt.'

De schrik sloeg Ignatz om het hart: zou iemand Wolf hebben zien binnensluipen?

'Alleen?'

'Pardon?'

'Had u een rendez-vous? Heeft iemand u gezien? Zijn er getuigen van uw uitstap of hebt u plots last van geheugenverlies, Herr Von Oszietsky?'

Aan het spervuur van vragen te horen, begint de Hofrat zijn geduld te verliezen en als ik iets moet voorkomen dan is het wel om voor lange tijd achter de tralies te verdwijnen.

Ignatz voelde weer aan de zwelling rond zijn oogkas.

'Mijn excuses, Herr Hofrat, maar door het laudanum ben ik wat trager in mijn reacties.'

De Hofrat zei 'uitstap', dus heeft hij het niet over Wolf en ook niet over Hans: de Jesuietenkirche lag immers op een boogscheut van de Judengasse. Hebben ze mij gezien bij de Frauenklinik? Hij waagde de gok.

'O ja, nu herinner ik het me weer, ik wandelde naar het park rond Palais Liechtenstein.'

Ignatz zag de schouders van de Hofrat iets naar beneden zakken.

'Ik ben blij dat uw geheugen langzaamaan terugkomt, Herr Von Oszietsky. U wandelde dus in de omgeving van Palais Liechtenstein, toevallig de omgeving waar ook de Frauenklinik ligt. En toevallig is die Frauenklinik de werkplaats van professor Von Graff zaliger. Een grote densiteit toevalligheden, vindt u ook niet, Herr Von Oszietsky?'

Ignatz voelde weer de stekende pijn in zijn knie.

'Had u iets tegen professor Von Graff zaliger, Herr Von Oszietsky? Of zien we hier weer hetzelfde patroon: u krijgt een cadeau, wetenschappelijke kennis van het hoogste niveau, en weer moet de gulle gever eraan geloven. Is moord misschien uw manier van schuldaflossing?'

'Zoals ik al zei, Herr Hofrat, ik wandel als ik niet kan slapen en hou van die buurt. Ik word er rustig van.'

'U klinkt als een mislukt medisch advies voor de behandeling van slapeloosheid, Herr Von Oszietsky. Goed, ik specificeer nu graag mijn vraag: bent u in de nacht van 10 op 11 maart binnengedrongen in de Frauenklinik?'

'Ik ben nergens binnengedrongen, Herr Hofrat.'

De Hofrat, die Ignatz' arrogantie meer dan beu was, nam een foto uit het dossier. In een glimp had Ignatz op de achterkant van de foto zijn naam zien staan. Getypt. De Hofrat schoof de foto naar hem toe. Ignatz zag een donkere gestalte in werkmanskledij, die met een pak de kliniek binnenging. In het helle lantaarnlicht bij de ingang van de Frauenklinik leek het of het dag was.

Dat iemand me zo vroeg in de ochtend bij toeval heeft gezien en ook nog heeft gefotografeerd, is uitgesloten. Wie heeft me daar opgewacht?

Tot zijn grote opluchting zag Ignatz dat een donkere schaduw zijn gezicht onherkenbaar maakte. Geen bewijsmateriaal. Alleen mijn naam. Iemand heeft het op mij gemunt.

'U verwart me met een werkman, Herr Hofrat?'

'Een zware belediging, dat geef ik toe, Herr Von Osizietsky.'

Voor het eerst keken ze elkaar een ogenblik aan. Ignatz las de minachting in de ogen van de Hofrat. Hij is ervan overtuigd dat ik de kunstenaar-lustmoordenaar ben, besefte Ignatz.

'Een belediging voor de werkman, bedoel ik', zei de Hofrat.

De Hofrat opende zijn bureaula, haalde er een bruine enveloppe uit en legde die op zijn schrijftafel.

Ignatz zette zich schrap.

'U hebt een zwak voor jonge meisjes, Herr Von Osizietsky.'

Ignatz sloot zijn ogen. Dit was zwaarder dan de afranseling van daarnet.

Tergend traag haalde de Hofrat de foto's uit de enveloppe.

'*Liggend meisje, Slapend meisje, Achteroverleunend meisje ...*'

Ignatz moest al zijn wilskracht mobiliseren om de Hofrats valse glimlach niet van zijn gezicht te slaan.

'*Meisje met de zwarte kousen, Meisje met polkadotjurkje ...*'

Als bij troeven, die alsmaar hoger werden, legde de Hofrat iedere foto voor Ignatz neer.

Denk aan maxime 287: Handel nooit uit woede, want in woede uitbarsten is alles verliezen.

De Hofrat legde de laatste foto op de tafel.

Lucretia, wist Ignatz. Wat leek ze op Elisabeth.

'En wie fotografeerde de meisjes, Herr Von Oszietsky? Was u dat of besteedde u die taak uit?'

Ignatz antwoordde niet. Verdriet had zijn woede aan banden gelegd.

De Hofrat bukte zich, nam voorzichtig een grote zwarte doos van achter zijn werktafel en zette die midden op het bureaublad.

Een Japanse doos, zag Ignatz. Een zeldzaam verzamelobject. Als je het deksel verwijderde, vielen de zijkanten in kruisvorm open.

Ignatz werd misselijk van de spanning. De Hofrat stond op, haalde diep adem en verwijderde eerbiedig, bijna in gebedshouding, het deksel. De vier kartonnen platen vielen met een doffe plof op het bureau. Daar stond de bokaal met Mizzi's hoofd, in het midden van het bureau, op een plateau van goud. Onwillekeurig week Ignatz achteruit waardoor het hem toescheen dat Mizzi's hoofd weer tot leven kwam. Het licht van de kamer weerkaatste in de formol en het goudgelakte kruis en toverde een gouden gloed op Mizzi's gelaat, dat nog altijd als een geisha was opgemaakt.

Hij slikte en voelde hoe de Hofrat hem bestudeerde. Hij kijkt naar me alsof zijn bureau in een laboratorium veranderd is en alsof ik, een vreemd, afstotelijk wezen, gebiologeerd naar mijn gedode prooi zit te kijken. Nochtans hadden hij en Wolf alleen gerechtigheid voor ogen gehad: dáárom had hij Mizzi's hoofd in een bokaal formol bewaard. Voor later, als bewijsmateriaal voor de moord op een proletarisch meisje. Een moord waarvan hij nu werd verdacht.

'Ik geef u een allerlaatste kans, Herr Von Oszietsky. Als u nu bekent, kunt u misschien de doodstraf ontlopen.'

'Wat valt er te bekennen, Herr Hofrat?'

Ignatz wist dat ze hem niet zouden geloven als hij de waarheid vertelde.

'Herr Ignatz von Oszietsky, hebt u dit hoofd dat u hier in de bokaal met formaldehyde op de tafel ziet staan, in de nacht van 10 op 11 maart, naar de Frauenklinik gebracht?'

'Dat kan ik me niet meer herinneren, Herr Hofrat.'

De Hofrat was nu wit van machteloze woede geworden. Hij had zich misrekend. Hij had een snelle bekentenis willen afdwingen maar dit was, voor de eerste keer in zijn loopbaan, niet gelukt. De beproefde enscenering zonder lijfwachten, in de intimiteit van zijn bureau, had geen vruchten afgeworpen. Ook de theatrale onthulling van het meisjeshoofd had niets opgeleverd. Hij had naar die climax toegewerkt omdat hij erop rekende een glimp van trots en triomf op het gezicht van de moordenaar te kunnen lezen en die vast te leggen met de geheime camera's, maar ook dát was mislukt. Hier zat een moordenaar, uiterst intelligent, zonder scrupules, in het nauw gedreven maar niet gebroken. En hij was alleen met hem.

Ignatz rook de plotse angst van de Hofrat.

Dit was zijn kans. De enige mogelijkheid om te ontsnappen en opnieuw jager te worden in plaats van prooi.

Hij zag de hand van de Hofrat naar de alarmknop onder aan het bureau glijden. Hij veerde op, graaide met zijn rechterhand naar de briefopener, haakte zijn linkerhand achter de nek van de Hofrat en trok hem over het bureau naar zich toe. Ignatz legde de vlijmscherpe briefopener tegen de halsslagader van de Hofrat.

'Eén woord en u bent er geweest', siste Ignatz.

Hij sleurde de Hofrat nu helemaal naar zich toe: 'Ik snij uw strot open als mij iets overkomt.'

De Hofrat stond te trillen op zijn benen.

'Open de deur.'

De lijfwachten gingen verschrikt opzij toen de deur openzwaaide en ze de Hofrat in zijn benarde positie zagen.

'Neem de handboeien en keten u aan elkaar vast.'

'Vlug', en hij duwde de briefopener wat dichter tegen de keel van de Hofrat, die raspend naar adem hapte.

'Goed. Gooi nu de sleutel uit het raam en draai u naar de muur. Als u alarm durft te slaan is de Hofrat een lijk.'

De adrenalinestoot had de pijn in Ignatz' knie verdreven. Hij had de Hofrat in een lichte wurggreep, duwde hem voor zich uit, liep zo de imposante trappen van het justitiegebouw af, er goed voor wakend dat zijn rug gedekt bleef, en riep een fiaker aan. Hij blafte een bevel en sleurde de Hofrat snel de fiaker in. Het laatste wat de verbaasde omstanders zagen, waren de spillebenen van de Hofrat, die uit de koets staken. Een grap, dachten ze, carnaval is in aantocht.

TIEN

'Absolvo te a peccatis tuis, uw zonden zijn u vergeven.'

Pater Wolf schoof het schuifje achter zijn voorlaatste biechteling dicht en keek nerveus, van achter de fluwelen gordijnen van zijn biechtstoel, de Jesuietenkirche in. Hij had gehoopt dat Ignatz vanmorgen contact met hem zou hebben gezocht, want het nieuws van de spectaculaire ontvoering en thuisbezorging van Hofrat Von Recht had zich snel in Wenen verspreid en hij vermoedde er de discrete hand van zijn geheim agent in. Wolf had er zelfs een vergadering met de apostolische vicaris voor verschoven. Tevergeefs. Hij zag hoe zijn laatste biechteling, een elegante dame met brede hoed, opstond. Ervaring had hem geleerd dat ravissante dames vaak een heel saai leven leidden en dat ze een zee van tijd nodig hadden om de enkele pekelzonden die ze begaan hadden uit te meten. Hij wierp een laatste blik in de kerk en schoof het schuifje open. Het zachte ruisen van haar zijden rokken stierf weg.

'In nomine Patris, et Filii et Spiritus sancti. Wees welkom, dierbare gelovige.'

'Confiteor Pater, ik heb gezondigd.'

De stem van de biechteling klonk Wolf vaag bekend in de oren.

Hij wachtte geduldig.

'Maak uw hart ontvankelijk voor Gods genade en belijd uw zonden.'

Hij zag hoe de lange vingers in de zwarte handschoenen zich in elkaar strengelden en nam de luisterhouding aan.

'Vader.'

Het woord 'vader' deed Wolf verrast opkijken.

'Ksaveri?'

Wolf voelde een golf van vreugde. Hij had Ignatz niet herkend en moest, ondanks de aanblik van Ignatz' vermoeide en gehavende gezicht, grinniken om de briljante camouflage.

'Je bent nogal toegetakeld.'

Wolf werd weer ernstig.

'Doe je verslag, Ksaveri.'

'Op bevel van Von Recht pakten twee politieambtenaren me gisterochtend om vier uur op. Een paar uur later werd ik door hun collega's in elkaar geslagen.'

'In de Schottenring 11?'

'Parel aan de kroon van het imperium.'

'Heb je de Sociëteit in gevaar gebracht?'

Ignatz schudde het hoofd.

'Von Recht is ervan overtuigd dat ik de moordenaar van het meisje ben. Hij haalde alles uit de kast om mij te breken. En eerlijk gezegd, het scheelde niet veel.'

Wolf sloeg zijn ogen ten hemel. Zijn blik botste op de houtsculptuur in het plafond van de biechtstoel, die een stralende Heilige Geest voorstelde.

'Hij toonde een foto waarop ik 's nachts met een pak onder de arm de Frauenklinik binnenga.'

'Was je herkenbaar?'

'Vaag.'

Wolf boog zich naar voren om zich ervan te vergewissen dat Ignatz de laatste was en schoof het schuifje boven zijn deur van 'Aanwezig' naar 'Afwezig'.

'Op de achterkant van de foto stond mijn naam getypt', zei Ignatz.

'Je hebt bij je tocht naar de Frauenklinik de normale procedure gevolgd, neem ik aan?'

'Jawel, vader: regelmatig over mijn schouder gekeken, mijn schoenveters twee keer vastgeknoopt, een ommetje gemaakt, de verlaten Heldenplatz overgestoken … en niemand die me volgde.'

'Dan wist de fotograaf dat je met het hoofd naar de Frauenklinik zou gaan.'

Even was het stil.

'Ik zie maar één mogelijkheid, Ksaveri. Jij en ik waren hier niet alleen, de nacht van de moord.'

Het beeld van Hans, die zich beschermend over het hoofd van Mizzi leek te buigen, verdrong nog altijd alle andere beelden van die nacht voor Ignatz.

'De moordenaar schuift de schuld in jouw schoenen.'

'Daarom koos ik voor de vlucht.'

'Ondanks je knie?'

Voor Wolf bleef niets verborgen.

'Met de Hofrat als schild.'

'Wat heb je met hem gedaan?'

'Thuisbezorgd.'

'Zoals ik al vermoedde. Weet Von Recht van Hans?'

'Nee, hij heeft er geen vragen over gesteld. Ligt Hans nog in de crypte?'

'Ik vond je briefje en heb hem daarop onmiddellijk naar huis laten brengen. In een verhuiswagen, om geen achterdocht te wekken.'

Wolf zag de plotse droefheid in Ignatz' ogen.

'We moeten nóg voorzichtiger zijn, jongen. Hoe kwam je trouwens aan de sleutel van de Frauenklinik?'

Ignatz zuchtte. Hij had die vraag verwacht.

'Ik lunchte met Von Graff, de dag dat hij vermoord werd. Hij zag er niet goed uit en ik heb geen tijd gemaakt om hem te vragen wat er aan de hand was.'

Wolf knikte.

'Ik vond dat ik hem iets verschuldigd was en ging na de moord op zoek naar een clou.'

'Je brak bij hem in. Heb je er, behalve de sleutel van de Frauenklinik, ook de sleutel van de raadselachtige moord op Von Graff gevonden?'

'Nee. Geen enkele aanwijzing.'

Wolf hoorde het zachte ruisen van de zijde. Zijn knie doet pijn, dacht hij.

'Blijft de theatrale enscenering van Hans en het meisje. Je verzwijgt iets voor me, Ksaveri.'

'Tijdens de ondervraging bij Von Recht vielen die puzzelstukken in elkaar. Von Recht verdenkt me ook van de moord op Von Graff.'

'Door de Frauenklinik verbindt hij je met Von Graff.'

'Klopt, en daarom toonde hij me acht foto's van dode jonge meisjes, die genummerd rond het lijk van Von Graff stonden. Allemaal replica's van Schieles schilderijen.'

'Ik ken het werk van Egon Schiele onvoldoende.'

'Op de achterkant van de foto's stond telkens de titel van het schilderij waarnaar de dode meisjes, door hun houding, verwezen.'

'Getypt of geschreven?'

'Geschreven.'

'In eigen handschrift of dat van Schiele?'

Hij weet meer over Schiele dan hij laat uitschijnen; Schieles typografie is uniek.

'Eigen handschrift. Zwierig, elegant, geen karakteristieke eigenschappen.'

'Een imitator die nog zijn eigen stijl zoekt. En de enscenering op de preekstoel? Ook naar een Schiele?'

'*Liefkozing.* Recent werk. De kunstenaar als martelaar, die zijn roeping volgt.'

Wolf dacht na. In Ierland wilde de clerus Hans weg hebben omdat hij de naam van de katholieke kerk bezoedelde met zijn aanklacht over kindermisbruik in sommige parochies en kloosters. De druk om Hans over te plaatsen was groot geweest, maar hij had hem de hand boven het hoofd kunnen houden.

'En de rol van het meisje?'

'In *Liefkozing* van Schiele beschermt de vrouw de kunstenaar maar de moordenaar draaide de rollen om.'

'Omkering, zoals in de fotografie. Zwart wordt wit en licht wordt duisternis. De prooi wordt jager en de jager prooi. Enig idee waarom jij wordt opgejaagd, Ksaveri?'

'Ik tast volledig in het duister, vader. En Von Recht denkt dat ik ook de acht jonge meisjes heb vermoord.'

'Kende je iemand van hen?'

'Nee, niemand.'

Ik moet Elisabeth hierbuiten houden.

'Was de moordscène bij Von Graff ook een imitatie van een schilderij van Schiele?'

'Nee, alleen de foto's eromheen.'

'Van recent werk?'

'Nee, de schilderijen waarnaar de foto's verwijzen dateren van meer dan twee jaar geleden.'

'De moordenaar gebruikt een onvoorspelbare logica. Als ik niet beter wist zou ik denken dat hij Gracián erop heeft nagelezen. Maxime 17: "Wees speels in je aanpak, verander je manier van werken. De beroepsspeler legt nooit de kaart op tafel die de tegenpartij verwacht, laat staan de kaart die de ander wenst."'

Wolf kuchte ongemakkelijk.

'Ik heb gistermorgen je appartement bezocht.'

'Als eerste?'

'De politie was nog niet langs geweest. Dat vond ik eigenaardig. Ik heb 'A Perverted Devotion' van George Tyrrell meegenomen, je moet het lot niet tarten.'

Ignatz zweeg.

'Misschien hebben de moorden op Von Graff en Hans wel iets met elkaar te maken. Von Graff en Hans, twee personen die je lang niet meer had gezien, worden kort nadat je hen had ontmoet vermoord. Von Graff pleegde abortussen, Hans klaagde kindermisbruik aan en bracht daardoor de katholieke kerk in diskrediet, Schiele schildert pornografie. Welke hand zie je hierin, Ksaveri?'

'Katholieke fundamentalisten?'

'Niet uit te sluiten. Maar waarom zouden ze jou zoeken, Ksaveri?'

'Omdat ik de ideeën van Tyrrell blijf verdedigen?'

'Waarom dan nu pas?'

Het bleef stil.

Wolf en Ignatz voelden allebei dat ze niet op het juiste spoor zaten. Logisch gezien kon het kloppen dat katholieke fundamentalisten hun gram wilden halen door een of andere fanatiekeling over te halen om moorden te plegen en terreur te zaaien, maar hun intuïtie zei iets anders. Iets veel donkerders had zijn schaduw over hen gelegd en Wolf wist dat hij nu met Ignatz de duisternis in moest.

'Ksaveri, denk na, heb je iemand ongewild kwaad gemaakt? Iets wakker geroepen? Bij een patiënt bijvoorbeeld: te veel in zijn zielenleven gepeuterd, te dichtbij gekomen, niet genoeg aandacht gegeven …'

Gedachten en gespreksflarden botsten tegen elkaar in Ignatz' hoofd en werden onherkenbaar vervormd. De oplossing lag vlakbij, maar ze ontglipte hem.

'Bérénice Kinsky, Ksaveri.'

Ignatz voelde de pijn in zijn knie wegebben en het botsen en schreeuwen in zijn hoofd ophouden.

'Ik heb je brief aan haar vader gelezen. Weinig tot geen moreel besef, schreef je, en haar agressie zou kunnen ontaarden. Ook in moord, Ksaveri?'

Voor de allereerste keer durfde Ignatz de mogelijkheid te overwegen dat Bérénice geen masker droeg om haar verdriet te verbergen maar om te verhullen dat ze geen morzel moreel besef had.

'Bérénice was de laatste patiënt die ik uitliet toen Hans me met zijn bezoek verraste en nu u het zo vraagt: ineens was ze verdwenen. Het zou kunnen dat ze zich gekrenkt voelde omdat ik haar niet langer mijn volledige aandacht schonk. Maar de stap tussen krenking en moord …'

'Ik vrees dat ik je, onbedoeld, in groot gevaar heb gebracht. Ksaveri, ik ben al jaren de biechtvader van graaf Kinsky. Vorig jaar vroeg hij me om raad.'

Ignatz luisterde.

'Het was net of de graaf een loden last torste. Hij liet niet veel over Bérénice los maar zei dat zijn dochter met zware psychische problemen worstelde en dat niemand haar daarbij kon helpen.'

Wolf beet op zijn onderlip.

'Ik heb hem jou als therapeut aanbevolen.'

'Ook al heeft ze weinig of geen moreel besef, vader, toch geloof ik niet dat ze een gevaar voor de samenleving zou kunnen zijn.'

'Omdat ze zo kwetsbaar was, Ksaveri, zo hulpeloos?'

Ignatz hoorde het haar weer zeggen: 'Ik ben zo bang, dokter. Zo verschrikkelijk bang.'

'Ik ken mijn zwak, vader, en heb me ertegen verzet. Beschermd heb ik haar zeker niet. Maar als ze me misleid heeft, dan heb ik wel de dood van Von Graff, Hans en het meisje op mijn geweten.'

'Kwel jezelf niet, mijn zoon. Jij hebt hen niet vermoord.'

'Ik heb me het hoofd gebroken om logische verklaringen voor haar gedrag te vinden.'

'Het kwaad heeft vele gedaantes, Ksaveri.'

'Ook die van een wezen dat eruitziet als een mens maar er geen is?'

'Ook dat bestaat, mijn zoon.'

Wolf zette zijn bril af.

'We mogen geen risico's lopen, Ksaveri. Bérénice Kinsky zou weleens de moordenaar van Hans, Von Graff en de meisjes kunnen zijn en als dat zo is dan hebben we te maken met een uiterst geslepen psychopaat. We moeten dus koste wat kost vermijden dat Bérénice onraad ruikt, verdwijnt met de noorderzon, en later, in een andere gedaante, opnieuw slachtoffers maakt.'

'Om zich te wreken.'

Ignatz hoorde de klik van Wolfs brillendoosje en wist dat hij het gesprek wilde afronden.

'We nemen het zekere voor het onzekere, Ksaveri, en zorgen ervoor dat Bérénice wordt opgenomen. Maar daarvoor hebben we de medewerking van graaf Kinsky nodig. Ik telefoneer zo vlug mogelijk naar hem en vraag hem dringend om naar Wenen te komen.'

'We hebben geen enkel bewijs, vader.'

'Een goed gesprek zal voor bewijzen zorgen. Daarom wil ik dat je erbij bent. Het is nu donderdagavond. Stel dat ik graaf Kinsky overhaal om zo snel mogelijk naar Wenen te komen – hij zit nu in Boekarest – dan zien we elkaar ten vroegste morgenavond.'

Wolf pauzeerde even.

'Vanaf nu moet je volledig ondergronds gaan, mijn zoon. Je hebt het devies van Descartes, "Word een larvatus prodeo", al gevolgd. Blijf gemaskerd tevoorschijn komen.'

Ignatz knikte.

Wolf keek Ignatz bezorgd aan.

'Ksaveri, ik weet dat het heel moeilijk voor je zal zijn, maar hou je alsjeblieft anderhalve dag gedeisd. Wie de moordenaar ook is, het is een gewetenloos roofdier, dat het op jou heeft gemunt. Doe niets, schaduw niemand, zoek niet op eigen houtje naar bewijzen. Zal je dat lukken?'

'Passief blijven?'

'De hele operatie staat of valt met het verrassingseffect. We kunnen het net rond het roofdier alleen maar sluiten als het geen onraad ruikt.'

Ignatz zuchtte.

'Ik heb een briefje aan de deur van je appartement gehangen: dat je wegens persoonlijke redenen afwezig bent. Daar heb je dus zéker niets meer te zoeken. We zien elkaar morgen, vrijdag, om zeven uur 's avonds in Hotel Imperial, in de Imperial Suite op de eerste verdieping. Dat God je moge beschermen.'

Wolf sloot zijn ogen en zegende Ignatz.

'Absolvo te a peccatis tuis, in nomine Patris, et Filii et Spiritus Sancti.'

'Amen.'

*

Het was half zes en het vale maartlicht had de strijd tegen de toenemende duisternis opgegeven. De zon was er niet in geslaagd om de vuilgele sjaal van damp en rook, die de hele dag rond Wenen had gelegen, te laten verdwijnen en iedereen vluchtte zo snel mogelijk naar huis.

Ignatz wachtte. Nu al meer dan een half uur. Het raampje van het huurrijtuig keek uit op de Salezianergasse 33 en er brandde nog altijd geen licht op de eerste verdieping, de verdieping waar Elisabeth woonde. Hij had de koetsier een royaal voorschot gegeven en ontdekt dat zijn metamorfose in een elegante dame onverwachte voordelen bood. Op de bok van de fiaker zat geen knorrige koetsier maar een ridderlijke cavalier, die heldhaftig de koude trotseerde. De koetsier had hem zelfs een extra deken aangeboden om op zijn schoot te leggen.

In de verte zag hij Elisabeth met zwierige stap naderen en, zoals altijd wanneer hij haar een tijdje niet gezien had, klopte zijn hart in de keel. Hij betaalde de koetsier, die galant zijn bolhoed afnam, en stak met kleine, kokette stapjes de straat over. Het was de enige manier om zich met zijn pijnlijke knie op Franse hakken voort te bewegen.

Ignatz en Elisabeth arriveerden gelijktijdig voor de deur van het appartementsgebouw en Ignatz deed of hij zijn sleutels tussen de rommel in zijn handtas zocht. Elisabeth hield galant de voordeur voor Ignatz open.

Ignatz passeerde haar met een gedistingeerd knikje. Ze herkent me niet en de schaduw van het hoedengaas maakt me ouder.

Niet gewend om Franse hakken te dragen, dacht Elisabeth, die haar tempo aanpaste en de lange dame met de mooie hoed door de imposante marmeren hal naar de liftkooi volgde.

'Waar moet u zijn, gnädige Frau?' vroeg Elisabeth.

'Waar ú moet zijn, gnädige Frau.'

Verrast keek Elisabeth naar de brede rug van de dame en sloot snel de smeedijzeren harmonicadeur van de lift.

'Ksaveri.'

Ignatz draaide zich naar haar toe.

'Elisabeth.'

De lift zette zich in beweging en Elisabeth voelde een lachkramp opkomen.

'Hoe vind je mij als vrouw, Elisabeth?'

'Betoverend.'

Ignatz grijnsde.

'Dus ik maak een kans?'

'Ik sta open voor het onverwachte, Ksaveri.'

Elisabeth opende snel de deur van de liftkooi, zag dat de kust veilig was en loodste Ignatz haar appartement binnen.

'Schop die Franse ondingen uit, Ksaveri, en laat me je eens goed bekijken.'

Ignatz bevrijdde zijn arme voeten uit de knellende schoenen.

'Wacht, Ksaveri, je hoed nog niet afnemen. Gun me een moment om je te bewonderen.'

Elisabeth schoof de geeldamasten gordijnen dicht, ontstak de kristallen luchters en cirkelde lachend rond Ignatz.

'Wat een prachtige jas. Kleurt perfect bij de jurk. Wie heeft dit completje gemaakt?'

'Maria Likarz.'

'Vond ze het niet vreemd, voor een man?'

'Ik diende alleen als kapstok.'

'O, ik begrijp het, je hebt het gebracht als een verrassing voor je tweelingzus. Ik zou de rest van je geheime garderobe weleens willen zien.'

Ignatz dacht aan zijn kast in de crypte van de Michaelerkirche en glimlachte.

'Altijd op het ergste voorbereid zijn, Elisabeth.'

Het dartele steekspel met Elisabeth deed hem deugd en gaf hem even respijt.

'Zal ik je hoed en jas naar de garderobe brengen?'

Elisabeth nam Ignatz' jas aan en keek geamuseerd naar zijn lange jurk.

Haar lach bevroor toen zijn gekneusde gelaat van onder het hoedengaas tevoorschijn kwam. Het werd stil in de kamer. Elisabeth leidde Ignatz zwijgend naar de divan en wachtte tot hij zijn hart zou openen.

'De kunstenaar-lustmoordenaar heeft mijn vriend vermoord, Elisabeth.'

Elisabeth vermeed het om naar hem te kijken om hem niet in verlegenheid te brengen.

'Hans Fröhlich, een jeugdvriend. We hebben samen gestudeerd. We deelden dezelfde ideeën, hadden nog zo veel plannen ... een zielsbroeder.'

In een flits zag Elisabeth het voor zich. Christina, Lucretia, Von Graff, Hans ... de kunstenaar-lustmoordenaar geniet van de pijn die hij veroorzaakt. Hij moet ons kennen. Hij wil onze reacties zien. Ons uit onze tent lokken.

'*Kardinaal en non*, dat was het schilderij waarin Hans figureerde.'

Ignatz zag hoe ze haar vuist balde.

'Mizzi.'

Zo gauw Elisabeth 'Mizzi' hoorde, was het net of een hinderlijke mug rond haar hoofd begon te cirkelen.

'Ja, Ksaveri.'

'Het hoofd van de non was Mizzi's hoofd.'

Het beeld was in zijn netvlies gebrand.

De mug zoemde luid mizzimizzimizzi.

'En haar lichaam?'

'Niet in de Jesuietenkirche.'

Elisabeth sloot haar ogen.

'*Kardinaal en non* stond op de preekstoel. Geen enkele buitenstaander heeft het gezien omdat we alles hadden opgeruimd voor de eerste mis.'

'Waarop de moordenaar niet gerekend heeft. Daarom zal hij heel vlug en hard willen toeslaan, Ksaveri. Zijn suprematie willen onderstrepen, tonen wie de baas is. We moeten hem vinden voor hij nog meer slachtoffers maakt.'

Weer werd het stil.

'En Bubi?'

'Niets. Niemand heeft haar sinds zondagmiddag gezien. Zelfs Frau Gelb niet.'

Elisabeth schonk hun allebei een glas Donauperle uit.

'Soms, Elisabeth, hoor ik haar in mijn gedachten om hulp roepen. De moordenaar heeft haar nog nodig. Ik durf er niet aan te denken waarvoor.'

Elisabeth nam een grote slok.

'Von Recht denkt dat ik de kunstenaar-lustmoordenaar ben.'

Elisabeth keek hem niet-begrijpend aan.

'Von Recht had een foto van me van vlak voordat ik de Frauenklinik binnensloop om Mizzi's hoofd in veiligheid te brengen.'

'De moordenaar heeft al getoond wie de baas is door je in de val te lokken en Von Recht te tippen.'

'Omwille van de bureaucratie kreeg ik een etmaal respijt. Daarna werd ik opgepakt, afgeranseld en ondervraagd. Toen Von Recht me de foto's van de dode meisjes onder de neus duwde en daarna de bokaal met formol waarin ik Mizzi's hoofd had gelegd, op tafel deponeerde, ben ik gevlucht.'

'Niemand hield je tegen?'

'Ik gebruikte Von Recht als steun en schild en liet hem daarna vrij.'

Elisabeth pakte zijn hand.

'Mijn huis is jouw huis, Ksaveri.'

De vanzelfsprekendheid ontroerde Ignatz.

'Ik ben blij dat je naar me toe gekomen bent. Heb je iets gegeten nadat je bent opgepakt?'

'Nee.'

'Toastjes?'

'Graag.'

Ignatz volgde Elisabeth naar de keuken en zag hoe haar fijne handen de toastjes uit de doos haalden en met veel zorg op het zilveren dienblad schikten.

'Heb je nog iets ontdekt over Lucretia?'

'Morgenavond zie ik Mary Dobrzensky. Ze komt speciaal voor mij uit Praag en we hebben in het salon van Genia afgesproken.'

'Jammer dat ik niet mee kan.'

'Beter zo.'

Elisabeth waste haar handen.

'Doctor Bauch, de advocaat die Egon uit zijn atelier heeft gegooid, heeft een alibi voor de nacht waarin Von Graff is vermoord. Weer een verdachte die we van ons lijstje kunnen schrappen', zei Elisabeth.

Ze zette het dienblad met toastjes op tafel.

'Gistermorgen heb ik Bérénice moeten wegbrengen. Ze werd hysterisch omdat je er niet was voor haar.'

'Bérénice Kinsky? Ik had helemaal geen afspraak met haar.'

Ignatz schrok. Als Bérénice erop uit was om hem te laten lijden dan had ze Elisabeth kunnen vermoorden.

'Kinsky, zeg je? Ik wíst dat ik haar al eens eerder had gezien. Ze woonde vlak bij mijn ouderlijk huis. Toen had ze zwart haar, nu blond.'

'Mijn god, en je hebt Bérénice naar de Hoher Markt gebracht?'

'Naar de Lange Gasse.'

'Mij gaf ze de Hoher Markt als thuisadres.'

'Ze wilde absoluut dat ik bij haar thuis naar iets kwam kijken. Ik had geen tijd, zei ik, een andere keer misschien, en heb haar, op de hoek van de Josefstädterstrasse vlak bij het theater, uit mijn Minerva gegooid. Sommige mannen vinden haar misschien charmant, Ksaveri, ik vind haar manipulatief en extreem narcistisch.'

'Ze is ook onvoorspelbaar, onverantwoordelijk en heeft totaal geen moreel besef.'

'Denk je dat Bérénice ...'

'Hoe langer ik over Bérénice nadenk, hoe meer ik ervan overtuigd ben dat ze een psychopaat is. Elisabeth, ik heb je in groot gevaar gebracht.'

'Ksaveri, jij kon toch niet weten dat ...'

'Zij is de enige patiënt met wie ik geen contact kreeg. Ik heb er zelfs Von Graff voor geconsulteerd. Hij dacht dat ze haar verdriet achter een masker verborg.'

'Projectie van Von Graff.'

'Ik kan niet geloven dat Bérénice ...'

'Daartoe in staat is? Zij zou niet de eerste zijn. Gravin Erzsébeth Báthory werd veroordeeld voor tachtig moorden. Op meisjes die niemand miste.'

'Ze leek zo frêle.'

'Je hoeft niet sterk te zijn om iemand te bedwelmen met chloroform of te wurgen met een pianosnaar, Ksaveri. En woede kan je een onvermoede, dierlijke kracht geven.'

Ignatz slikte. Elisabeth had gelijk.

'Op de foto van Von Graff zag ik op zijn enkels en polsen donkere striemen. Misschien heeft hij zich nog proberen los te rukken toen hij wakker werd uit de chloroformnarcose en voelde dat hij vastgebonden was.'

'Ik zie morgenavond haar vader, graaf Kinsky, samen met zijn biechtvader, pater Wolf. Hoe moeilijk het ook is, hij moet dit weten.'

'Weet je dat de familie van Erzsébeth Báthory, toen alles uitkwam, haar eerst in het klooster wilde plaatsen om alles stil te houden?'

'Het wordt een delicaat onderhoud.'

'En als jullie van hem bewijzen krijgen?'

'Dan gaan we meteen, samen met graaf Kinsky, naar de Lange Gasse. Om Bérénice te laten interneren.'

'Is dat niet gevaarlijk? Naar het hol van de leeuw?'

'Haar vader is erbij.'

'Maakt dat enig verschil voor een psychopaat?'

Er viel een korte stilte.

'Hoe laat heb je morgenavond afgesproken met graaf Kinsky?'

'Zeven uur.'

'Perfect. Ik zie Mary, die Bérénice beter kent dan ik, ook om zeven uur. Ik vraag haar morgen waar Bérénice was toen Lucretia werd vermoord. We verzamelen allebei bewijzen en sluiten dan in twee bewegingen het net.'

Ignatz knikte.

'Jullie zijn er eerst. Hoe laat denk je, rond negen uur? Zo gauw ik bewijzen van Mary krijg, snel ik naar Von Recht. Die werkt nu toch heel laat door.'

'Als hij mij in de Lange Gasse ziet ...'

'Ik overtuig hem met bezwarende bewijzen tegen Bérénice. Zo wordt je naam meteen gezuiverd en, als we alles goed op elkaar afstemmen, is het gevaar van Bérénice minimaal. Als Mary me morgenavond niets wijzer maakt,

171

ga ik niet naar Von Recht. Dan moeten jullie de klus alleen klaren. Wees in godsnaam voorzichtig.'

Ignatz presenteerde Elisabeth het laatste toastje.

'Neem maar, Ksaveri. Je moet aansterken.'

Elisabeth grinnikte.

Ignatz aarzelde.

'Ze koos voor Judith.'

'Pardon?'

'Tijdens haar behandeling moest Bérénice zich inleven in een figuur uit het Oude of Nieuwe Testament.'

'En zij koos Judith?

Elisabeth hoorde weer het enerverende zoemen van de mug. Ze schudde het hoofd om het zoemen te laten ophouden maar het werd alsmaar luider. Ze zag Judith met een houw uithalen en het hoofd van Mizzi rolde langzaam voor haar voeten. Ik voel me niet goed, wilde ze nog zeggen, maar alles om haar heen werd zwart.

ELF

De fiakers reden af en aan. Ze hielden even halt bij het he-
renhuis op de Kärntner Ring 123, waar het licht uit de ramen stroomde, wachtten geduldig tot de elegante dames
en galante heren waren uitgestapt en snelden dan weg
om nieuwe gasten op te pikken. Ook Bérénice Kinsky liet
zich aanmelden. De butler, die net Herr Hofrat Siegfried
von Recht had verontschuldigd, boog als een knipmes bij
de naam 'Kinsky' en onmiddellijk kwamen enkele heren
haar hun diensten aanbieden. Omringd door jonge mannen ging ze de trappen op naar de bel-etage.

Carl Reinhaus had iets te vieren en zoals altijd vierde hij
het in stijl. Als eigenaar van twee winstgevende fabrieken
hoopte hij ooit nog eens een adellijke titel te verwerven,
al was het maar om zijn vrouw te plezieren, die droomde
van een vermelding in de *Almanach de Gotha*, de alma-
nak van adellijke geslachten. Maar een plaats verwerven
op de lijst van kandidaten voor een adellijke titel was een
dagtaak, had Reinhaus gemerkt. Veel arbeidsintensiever
dan het leiden van zijn twee fabrieken. Een beetje ritselen
hier, wat sjacheren daar – dat kende hij – maar ook nog

de juiste vrienden frequenteren, goede sier maken met glansrijke soirees zoals vanavond, jarigen verrassen met uitgelezen cadeaus, onder alle omstandigheden voorkomend blijven ... Gelukkig opent mijn kunstverzameling en Kaiser-Panorama vele deuren en met mijn erotisch kabinet verwen ik niet alleen mezelf, maar stem ik meteen de juiste adellijke vrienden gunstig. Hij verheugde zich al op hun verraste gezichten, straks, als ze zich zouden terugtrekken in de rookkamer.

Bérénice Kinsky zette een domper op zijn feestelijke stemming. Wat deed zij hier? Hij had haar toch niet uitgenodigd?

Met een stralende glimlach stapte ze op hem toe.

'Gnädige, ik kus uw handen. Ik was ervan overtuigd dat u met vakantie was.'

'U bent verkeerd voorgelicht, Herr Reinhaus. Ik wil u graag, wat dat betreft, ten volle onderrichten.'

Reinhaus nam zijn zakdoek en veegde het zweet van zijn voorhoofd.

'Duizendmaal mijn oprechte verontschuldiging ...'

'Niet erg, Herr Reinhaus, iedereen kan zich weleens vergissen. Trouwens, u had het de laatste tijd ook zo verschrikkelijk druk.'

Carl Reinhaus kleurde rood tot in zijn haarwortels en dacht: had ik haar maar nooit bij mijn erotisch kabinet betrokken.

'O,' kirde Bérénice, 'zie ik daar niet Leopold, vrijheer Von Andrian zu Werburg, intendant-generaal van het Hoftheater? Hém moet ik spreken.'

Carl Reinhaus haalde opgelucht adem. Achter de façade van de holle frases verborg zich hun wederzijdse afkeer, die ze maar moeilijk wisten te onderdrukken. Hopelijk was ze de hele avond zoet met het coifferen van de intendant-generaal.

Reinhaus dronk van zijn champagne.

Een ware martelgang, die recepties. Het wende maar niet om een staatsbeambte van negende of tiende rang met de titulatuur van een staatsbeambte van vijfde rang aan te spreken. Toch móést het, want het was een van de vele ongeschreven maar levensnoodzakelijke regels om zich vlot in de Weense hogere kringen te kunnen voortbewegen. Hij besefte maar al te goed dat een Wener zonder titulatuur zich even onthand voelde als een nudist op het slagveld.

'Hoe vaart Zijne Doorluchtigheid?'

'Ik mag niet klagen, Exzellenz. Is dat de jonge Rothschild daar, bij Alma Mahler?'

'Ja, Louis Nathanael, net terug uit Parijs ... de Oriënt-Express.'

'Is ook niet meer wie hij geweest is. Oud geworden.'

'Vijfendertig.'

Er hadden zich inmiddels nog heren bij het groepje gevoegd en Carl Reinhaus trok zich discreet terug om pas gearriveerde gasten te verwelkomen.

'O, kijk daar, Fürstin Schönbörn. Ze heeft iets met de jonge Skoda. Wist je dat?'

'Nee toch, ik dacht dat hij met Mädi von Lobkowitz ging.'

'Mädi heeft hem de bons gegeven.'

'Echt waar? Nee ... Zo'n goede partij.'

'Hij verveelde haar.'

'Vrouwen.'

Een dienster in dirndljurk schonk het groepje heren nog wat champagne bij.

'Niets boven zo'n jong, gedienstig ding, vind je niet, Oskar?'

'Nergens zijn ze beter dan op ons Oostenrijkse platteland: dikke blonde vlechtjes, romig witte huid en zacht als boter.'

'Kijk, Hofrat Fischer is ook een liefhebber.'

Het selecte herengroepje keek geamuseerd toe hoe de butler Hofrat Fischer een kaartje overhandigde. Ze wisten allemaal wat erop stond: 'Na de lezing, afspraak in de rookkamer voor een erotisch kabinet om nooit meer te vergeten.' De heren gniffelden. Het beloofde een prettige avond te worden, want de gastheer had hun iets speciaals in het vooruitzicht gesteld.

'Het gaat goed met de effectenbeurs. Wat zeg ik, het beste moet nog komen. Geloof me, vrienden, wapens en chemie, dat wordt de toekomst.'

'Skoda, Krupp, Armstrong, Vickers en Schneider-Creuzot, allemaal bonafide bedrijven.'

'En nu maar hopen dat het snel oorlog wordt.'

'Hé, is dat niet Bérénice Kinsky? Naast de zus van Schiele?'

'Beeldschoon geworden.'

'Gerti Schiele is ook niet lelijk.'

'Mannequin voor de modeafdeling van de Wiener Werkstätte.'

'Je ziet het aan de manier waarop ze is toegetakeld. Die moderne kledij flatteert niemand.'

'Zonde om zo'n mooi lichaam in een gekleurde zak te verstoppen.'

'Hoe weet je dat?'

'Van die gekleurde zak?'

'Flauw, hoor.'

'Haar broer, de pornograaf, heeft haar verschillende keren naakt geschilderd.'

'Het schijnt dat hij haar gedwongen heeft. Vastgebonden en zo.'

'Ze hadden hem levenslang moeten geven.'

'De kinderlokker.'

'Tien- tot twaalfjarigen, meisjes en jongens, allemaal uit Neulengbach.'

'Ze moesten met hun rug tegen hem aan gaan staan en dan obscene bewegingen maken om zijn geslachtslust te bevredigen, zo stond het letterlijk in het politieverslag.'

'Nee ... Naakt?'

'Volgens een welingelichte bron bij het gerecht, allemaal naakt. Vraag het maar aan Reinhaus.'

'Kunstenaars.'

Het geroezemoes in de kamer stierf langzaam weg toen Carl Reinhaus tegen zijn roemer tikte om de rector van de Weense universiteit aan het woord te laten. Iedereen luisterde of deed alsof. Gerti Schiele liet de nietszeggende woorden van de rector als water over zich heen glijden en haar blik gleed over de muren van de bel-etage. Geen plekje was nog vrij: Manet, Cézanne, Renoir, Munch, Minne, Van Gogh ... ze vochten allemaal om aandacht. Ze zag dat haar broers eerbetoon aan Van Gogh, *De slaapkamer in Neulengbach*, van de muur verwijderd was. Een foto op de buffetkast intrigeerde haar. Twee spelende meisjes op een zonovergoten strand.

'Vind je ze mooi?' fluisterde een zachte stem in haar oor.

Gerti knikte. Kinderen, die nog volledig kunnen opgaan in hun spel, dat is het mooiste wat er is.

'Ik heb er nog meer gefotografeerd, Gerti. Je moet maar eens langskomen. Hier is mijn kaartje.'

Gerti keek naar het visitekaartje dat haar was toegeschoven.

ATELIER BÉ

LANGE GASSE 44

8. BEZIRK

Toen ze omkeek om te bedanken, zag ze dat de persoon die bij de stem hoorde tussen de vele genodigden was verdwenen. Egon kon stemmen altijd thuisbrengen, ook al was het jaren geleden dat hij ze gehoord had. Dat kon Gerti niet. Ze keek nog eens naar de foto van de spelende meisjes in het wit. Dochtertjes van Reinhaus? Ze dacht aan vroeger, aan Egon en hun gezamenlijke dromen. Hoe ze zich na het spel buiten uren opsloten in Egons kamer en die helemaal verduisterden. Hoe papa, op aandringen van mama natuurlijk, de deur forceerde en binnenstoof. En hoe verwonderd hij keek toen hij zag dat ze alleen maar foto's aan het ontwikkelen waren.

De universiteitsrector, die maar bleef oreren, stoorde zich niet aan het toenemende gelach en gefluister. Hij was het gewend stug door te gaan, desnoods zonder luisteraars.

Niemand zag de gehandschoende hand in de zak van de butler glijden en er een kaartje uithalen. Hetzelfde kaartje dat de butler net aan enkele uitverkoren gasten had uitgedeeld.

*

Een Kaiser-Panorama om nooit meer te vergeten, dát zul je vanavond krijgen, Herr Reinhaus. Als engel der wrake kom ik straks naar je toe. Openrijten zal ik je, je vel verscheuren, je nagels uitrukken, je zielige holtes uitroken. Vervloekt ben je! Met je vuile sperma zal ik je besmeren, met je miserabele kots zal ik je verstikken, met je eigen perverse fantasieën zal ik je bevuilen. Waarom? zul je vragen met die varkensblik van je. Omdat jij, nulliteitenvorst, je iets hebt toegeëigend met je geld, je domme kracht. Ja, nu knipper je verschrikt met je bleke varkenswimpers. Ík heb die foto's gemaakt voor je erotisch kabinet, ík heb die meisjes het allerhoogste gegeven. Kunstwerkjes zijn het geworden, fin-de-siècleminiaturen, waar nog eeuwen over zal worden gesproken en geschreven. En jij, varkenskoning, nodigt me niet eens uit op de presentatie van mijn meesterlijke kleinoden. Vanavond kom ik mijn meisjes weer opeisen. Vanavond nog, voorwaar, lijf ik ze in. Ze zijn van mij en blijven eeuwig in mij, want ík was het die hun laatste adem heb opgezogen.

*

'Füchsl, u hebt me tot nu toe nog niet teleurgesteld, daarom krijgt u de primeur. Kärntner Ring 123. Kom binnen langs de dienstingang. Als uw beschrijvingen net zo schilderachtig zijn als de vorige, zal ik de volgende keer weer eerst aan u denken.'

Füchsl, topjournalist van het *Neue Wiener Tagblatt*, wreef de slaap uit zijn ogen. Hij herkende de hese stem van zijn anonieme bron. Zie je wel dat het loont om niet alleen op de redactie maar ook thuis telefoon te hebben. Hij keek op zijn horloge, dat hij zelden afdeed: één uur. Om half drie werd de ochtendeditie afgesloten. Dat zou rennen worden. Hij kleedde zich snel aan, stak zijn blocnote en pen in de binnenzak van zijn overjas en haastte zich naar de Kärntner Ring 123, het huis van Carl Reinhaus, de kunstverzamelaar.

Het huis, dat twee uur geleden nog bruiste van licht en leven, leek nu helemaal opgeslokt door de donkere, eenvormige rij façades van de chique Ringstrasse, die er levenloos bij lag. Hij opende geruisloos de deur van de dienstingang, wachtte even in de smalle gang tot zijn ogen gewend waren aan het donker en verwonderde zich over de dodelijke stilte die het huis in zijn greep had. Zou Reinhaus op het einde van het feest waarop 'tout Vienne' aanwezig was, het personeel weggestuurd hebben? Om zijn nieuwste verovering in alle rust zijn kunstverzameling te kunnen tonen? Füchsls oog viel op een visitekaartje, dat bleek afstak tegen een donkere trede.

'Afspraak in de rookkamer voor een erotisch kabinet om nooit meer te vergeten', las hij in het licht van een lucifer. Hij probeerde de eerste drie doorgestreepte woorden ook te lezen, maar het licht was te zwak. Later, als ik thuis ben, dacht hij en hij stak het kaartje in zijn zak.

Hij ging de diensttrap op en opende de volgende deur. Het maanlicht, dat uit de hoge ramen van de hal stroomde, weerkaatste tegen de koude, marmeren vloer en Füchsl volgde een spoor van visitekaartjes dat hem, langs de donkere loper van de brede trap, naar boven leidde. Het laatste kaartje lag prominent voor een gesloten dubbele deur. De rookkamer, dacht hij, en het leek of het grote huis zijn adem inhield en wachtte op wat er nu ging gebeuren. Hij drukte de bronzen klink naar beneden en de zware deur ging geruisloos open.

De kamer baadde in het licht. Midden in de kamer, onder een enorme kristallen luchter, stond een grote, houten, cilindervormige constructie met ingebouwde kijkgaten waaromheen barkrukken geplaatst waren. Een authentiek Kaiser-Panorama, een van de weinige op de wereld. Ik wist niet dat Reinhaus zo'n prachtstuk bezat, dacht Füchsl, die altijd al gefascineerd was geweest door stereoscopische, driedimensionale beelden, die je als kijker de illusie geven dat je in het landschap, in de foto stapt. Als een magneet trok de donkere cilinder de journalist naar zich toe. Hij keek door een kijkgat en deinsde achteruit.

Nee, dit was niet de vertrouwde 'leunstoelreis' naar verre steden en gebieden. Dit was je reinste pornografie. Hij keek in het kijkgat ernaast – het mechanisch rad waarin de foto's staken was, om een of andere reden, geblokkeerd – en zag het weer, nu met nog jongere meisjes. Hij voelde dat hij, ondanks zijn schroom en weerzin – ze moesten nog tien jaar worden – opgewonden raakte van wat ze met elkaar deden. Wat had die stem aan de telefoon gezegd? Schilderachtig beschrijven. Hoe kon hij in een krant als het *Neue Wiener Tagblatt* beschrijven wat hij zag, weergeven wat hij meemaakte, zonder gecensureerd te worden? Hij ging naar het volgende kijkgat en het volgende en hoe meer hij keek, hoe opgewondener hij werd en hoe meer hij zichzelf verachtte. Het kon mijn dochtertje zijn, dacht hij. De fijne meisjesvingers streken voorzichtig over de roze lipjes van de vagina van haar vriendinnetje als bladerde ze in een kostbaar getijdenboek. Verward stapte Füchsl achteruit, leunde tegen het deurportaal en walgde van zichzelf.

Beneden sloeg een deur dicht. Füchsl schrok. Hij hoorde voetstappen naar boven komen, hevig gefluister op de trap en wist dat zich verbergen geen zin had.

'Ha, die Füchsl,' hoorde hij een bekende stem zeggen, 'altijd als eerste op de plaats van het delict.'

Het was zijn collega van het *Illustrierte Wiener Extrablatt*.

Füchsl lachte groen.

'Zo bleek. Een spook gezien?' zei Halberman van de *Neue Freie Presse*.

De informant had hem maar een kleine voorsprong gegeven of was hij zo in de ban van de foto's geraakt dat de tijd schijnbaar had stilgestaan? Füchsl keek op zijn horloge: twintig voor twee.

Nog andere collega's waren binnengekomen en als uitgehongerde wolven stortten ze zich op de kijkgaten van het Kaiser-Panorama.

'O, moeten ze me dáárvoor uit mijn bed bellen?' zei Franzl, die zich, zoals altijd, groter voordeed dan hij was.

Füchsl pende snel woorden en flarden van zinnen in zijn notitieboekje en sloot zich af van hun commentaar.

'Fritzl, kom eens kijken, lekkere potjes honing!'

'Roeren in dat potje.'

De lachsalvo's knetterden door de kamer.

'Daar wil ik weleens mijn stengel in steken.'

'Ze moeten voor de foto minuten muisstil blijven liggen, die grietjes.'

'Muisstil met hun muisje.'

'Ik heb het verkeerde beroep gekozen.'

'Kijk hier! Eentje die op haar balalaika tokkelt.'

'Die wil ik weleens vedelen.'

Füchsl had genoeg gezien en wilde net opstappen toen hij een kreet van afgrijzen hoorde.

Het werd doodstil in de rookkamer.

Een journalist, die in hoog tempo de foto's aan het bekijken was en midden in zijn reis van de ene barkruk naar de andere versteend van schrik was blijven zitten, kon, na zijn kreet, geen woord meer uitbrengen. Lijkbleek stond hij op en de barkruk viel kletterend op de mozaïekvloer. Hij wees naar het kijkgat. Füchsl ging er snel naartoe en zag deze keer geen stereoscopische foto – die was eruit gehaald – maar keek rechtstreeks in het binnenste van het Kaiser-Panorama. Feigl, journalist van het *Deutsche Volksblatt*, duwde Füchsl opzij.

'Ieder zijn beurt, vriend. Nu is het aan mij.'

Het getrek en gesleur bij het kijkgat was hevig maar Feigl verroerde geen vin en stond stoer, breeduit en bewegingloos, als een kapitein in de storm aan het roer van zijn schip.

'Mijn god', zei hij. 'Carl Reinhaus ... gewurgd met een pianosnaar.'

Halberman, die wist dat hij geen kans maakte om in het gedrang een glimp van het moordtafereel op te vangen, koos voor stijl en schreef in zijn blocnote: 'Sidderend van opwinding en huiverend van afschuw naderde ik het zieltogende lichaam van Herr Handelsrat Carl Reinhaus.'

Füchsl, die wist dat je de binnenkant van het Kaiser-Panorama kon zien door onderaan een gordijn weg te schuiven, spoedde zich naar de andere kant van het Kaiser-Panorama en kroop onder het doek. Op zijn hurken keek hij naar het vreselijke tafereel: op een salontafeltje lag Carl Reinhaus, naakt en in kruisvorm uitgespreid. Füchsl keek recht in de uitpuilende ogen van Reinhaus, waarover een melkachtig vlies scheen te liggen en hij hield zijn hand voor de mond om een golf vanuit zijn maag tegen te houden. Hij zag een dik kussen onder Reinhaus' heup liggen waardoor alle aandacht naar zijn penis ging die, afgebonden, als een exotische purperen larve, op het altaar van zijn dikke, witte buik lag. Zijden draden verbonden zijn penis met de ijzeren fotoframes van elk van de meisjes. Vierentwintig blinkende spermadraden leken het, die glinsterden in het licht van de kristallen luchter.

Füchsl, die gehypnotiseerd leek door het gruweltableau, had Von Recht met zijn acolieten niet horen binnenkomen. Pas toen inspecteur Karl Josef Weinwurm luid om stilte schreeuwde, wist hij dat hij moest maken dat hij daar wegkwam. Snel kroop hij onder het gordijn vandaan. Niemand lette op hem.

'Heren, u bent zich toch bewust van het feit dat u met zijn allen de plaats van het delict aan het contamineren bent?' zei de Hofrat, wiens hoofd uit de vergulde laurierbladeren van zijn donkere, rechtopstaande kraag leek te groeien.

'Jezus, die ons uit de tempel verjaagt', fluisterde Feigl Füchsl in het oor, en daarna, luidop: 'Met alle respect, Exzellenz, we doen alleen maar ons werk.'

'U mag van geluk spreken dat ik vandaag weinig tijd

te verliezen heb, Herr Feigl, anders was u al aangehouden voor obstructie van het gerecht en gebrek aan respect voor de rechterlijke macht.'

Het was nu stil geworden en een voor een verlieten de journalisten, met de staart tussen de benen, de rookkamer, Füchsl als laatste en hij zag nog net een goudgeel, half uitgerafeld kussen in de leunstoel liggen. Daaruit zijn de spermadraden gesponnen, wist hij. Hij hoorde Von Recht achter de gesloten deuren bevelen snauwen en verdween in de nacht.

TWAALF

'Extra editie! *Neue Wiener Tagblatt!* Reinhaus vermoord in pornokabinet!'

Voor de tweede keer die dag hoorde Elisabeth het nieuws uitschreeuwen. Ze was op weg naar het salon van Genia Schwarzwald, waar ze Mary Dobrzensky zou ontmoeten. Tegen haar gewoonte in had ze 's morgens het *Neue Wiener Tagblatt* gekocht en uit de gedetailleerde beschrijving van de moord op Carl Reinhaus hadden Ignatz en zij geconcludeerd dat de mise-en-scène resoneerde met die van Von Graff en van Hans Fröhlich. Toch waren er fundamentele verschillen. De moordscène was dan wel spectaculair, ze was veel minder het resultaat van planning en wees eerder op impulsgedrag. In de hele enscenering ontbrak het werk van de Blaschka's en het was nog maar de vraag of de foto's rond Reinhaus naar Schieles werk verwezen.

Omwille van de nieuwe feiten hadden ze hun plan de campagne omgegooid. Elisabeth was onmiddellijk naar het bureau van Von Recht gegaan om te achterhalen wie de meisjes op de vierentwintig foto's waren en of de foto's ziekelijke imitaties van Schieles schilderijen waren, maar Von Recht had niet thuis gegeven.

Elisabeth voelde weer haar hart ineenkrimpen bij de gedachte dat Lucretia's beeld gedegradeerd zou worden tot een pornografisch beeld. Wat is er de laatste tijd met me aan de hand? Nog nooit heb ik me zo kwetsbaar gevoeld: gisteravond die flauwte – in Ksaveri's bijzijn nog wel – en nu weer die ondraaglijke druk op mijn borst. Waar is mijn koelbloedigheid gebleven?

'Bubi', had Ksaveri gezegd. 'Laat Bubi er niet bij zijn.'

Elisabeth hoopte maar dat Ksaveri zich tot vanavond gedeisd kon houden. Ze wist hoe aartsmoeilijk die plek in de luwte voor hem was, zeker nu Bérénice hun hoofdverdachte was. Daarom had ze hem voor alle zekerheid niet het nummer van het huis aan de Lange Gasse gegeven. Hij was in staat om ernaartoe te gaan om Bubi te zoeken. Eerst bewijzen verzamelen, het net sluiten en dan pas toeslaan. Nu maar hopen dat zijn temperament het niet overneemt van zijn verstand.

'*Illustrierte Wiener Extrablatt!* Speciale avondeditie! Gruwelpanorama in de Kärntner Ring 123!'

Ze sloeg de kraag van haar bontjas op om het hysterische geluid van de krantventer wat te dempen. Ze wist dat ze in de pers geen beelden van de meisjes zou vinden omdat Von Recht nooit zou hebben toegestemd om de foto's nu al vrij te geven.

Generositeit zonder plichtplegingen, dat was wat Elisabeth zo waardeerde in Genia's salon. En het intellectuele vuurwerk natuurlijk. Ze haalde een paar keer diep adem om rustig te worden, ging het grauwe woonblok in de

Josefstädterstrasse binnen en liep door de lange gang die naar de tuin leidde. Achter in de tuin lag een sprookjesachtig tuinhuis, dat baadde in het licht van enkele lantaarns. Het smeedijzeren hek stond wagenwijd open en de gele klokjes van de forsythia bloeiden uitbundig tegen de muur van Genia's 'tuinpaleis', zoals ze haar woning zelf noemde.

Elisabeth belde aan en Hemme deed open. Elisabeth hield van de onnadrukkelijke aanwezigheid van Hemme, Genia's levensgezel. Ondanks zijn hoge positie – Hermann Schwarzwald was kabinetschef van de minister van Financiën van het Habsburgse Rijk – bleef Hemme altijd zijn rustige zelf en was hij de stabiele toeverlaat in het gezin, een ménage à trois die in Wenen niet langer de roddelpers haalde omdat het nieuwe er allang af was en omdat er niets smeuïgs over te vertellen viel doordat het er zo harmonieus aan toe ging. Marie Stiasny, jong, elegant en mysterieus, was de derde partner in het gezin en zorgde zowel voor de boekhouding en administratie van Genia's tientallen projecten als voor het welzijn van Hemme, als hij weer eens ziek werd.

'Elisabeth, liefje, eindelijk. Schiele vraagt de hele tijd naar je.'

Genia was, met haar gebruikelijke enthousiasme, op haar toegestormd en Elisabeth voelde haar warme buik en borsten tegen zich aan drukken. Geen balein, geen korset of ander keurslijf voor Genia want ingesnoerde vrouwen, vond Genia, kunnen niet denken omdat de zuurstoftoevoer naar hun hersenen wordt afgesloten. Als we ons laten insnoeren, zo hield ze haar studenten voor, draagt onze geest een korset en boren metaalplaten zich in ons hart.

Elisabeth glimlachte. Ze hield van Genia.

In de kleine huiskamer zag Elisabeth Mary Dobrzensky zitten, druk in gesprek met twee heren, Amerikanen aan hun kakelbonte kleren te zien. Elisabeth wuifde en mimede 'tot strakjes', waarop Mary haar een vederlichte kus toewierp.

'Elisabeth, voor de tentoonstelling, wat denk je: *Liefkozing* hier in de woonkamer of beter boven, in Hemmes slaapkamer?'

Omdat Elisabeth niet meteen antwoordde, vervolgde Schiele: 'Ik denk dat *Liefkozing* beter in Hemmes slaapkamer hangt. Noorderlicht. Maar dan moet het tapijt daar weg en moeten we een andere sprei zoeken ...'

'Ben je ons huis aan het herinrichten, Egon?' vroeg Genia.

'O, Frau Doktor, ik ben u zo dankbaar voor deze kans.'

'Genia, Egon, zeg maar Genia. "Frau Doktor" is voor mijn studenten. Het was trouwens Elisabeth die me op de kracht van je werk wees. Haar moet je bedanken. Elisabeth, liefje, zo bleek. Voel je je niet goed? Wacht, ik vraag Karin of ze even met haar apotheekkastje langskomt.'

'Genia is overbezorgd én geheelonthouder', zei Elisabeth nadat Genia weggebeend was. 'Ze schenkt zelf geen drank maar haar gasten mogen drank meebrengen en drinken zo veel ze willen.'

'Een vrouw naar mijn hart', zei Schiele, die Genia met een blonde vrouw aan de arm zag naderen.

'Mag ik jullie voorstellen', zei Genia. 'Karin Michaelis, schrijver, onze Nightingale en eerste hulp bij ongevallen.'

Breed lachend opende Karin haar 'apotheekkastje',

waarin tientallen kleurige flesjes mooi in het gelid stonden.

'Porto, sherry, cognac, whisky … kies maar uit', zei Karin.

'Heb je het gehoord van Reinhaus' pornokabinet?'

Elisabeth schonk zich wat whisky in.

'Twee jaar geleden,' zei Schiele, 'in de herfst, vlak na de zaak-Neulengbach, vroeg Reinhaus me of ik voor hem een pornokamer wilde inrichten. Hij zou me heel goed betalen en niemand zou het ooit te weten komen. Ik doe niet aan prostitutie heb ik hem toen gezegd.'

'Dáárom mocht je niet langer bij hem komen', zei Elisabeth. 'Dáárom mocht je hem ook niet meer tutoyeren.'

'Een mooi idee voor een roman', zei Karin. 'Geen koning Midas, die alles wat hij aanraakte veranderde in goud, maar koning Reinhaus, die alles wat hij aanraakte veranderde in porno.'

'Een beeld van deze tijd', zei Genia. 'Alles is koopwaar geworden.'

'Ik haat kooplui', zei Schiele.

Elisabeth, die met haar rug naar de deur stond, voelde dat iemand in het deurportaal naar haar keek. Ze zag dat Schiele opkeek en iemand herkende. Beleefdheidshalve draaide ze zich niet onmiddellijk om maar vroeg: 'Nog bekenden, Egon?'

'O, ik dacht even Frau Kinsky te zien, maar ik zal me wel vergist hebben want dan was ze zeker naar me toe gekomen.'

Elisabeth voelde dat de haartjes in haar nek overeind gingen staan.

'Een bewonderaarster, Egon?'

'Al jaren en ze wil altijd weten waaraan ik nu weer werk.'

'Ik moet even mijn handen wassen, een ogenblik', verontschuldigde Elisabeth zich, die zich naar de voordeur haastte.

Er was niemand te zien.

Elisabeth ging naar buiten.

'Mooi hè, die forsythia?' zei Genia, die haar achternagelopen was. 'Kom vlug naar binnen, Elisabeth, het is veel te koud buiten.'

Genia leidde Elisabeth naar het zitje vlak bij het haardvuur.

'Wat een hoffelijke en intense man, die Egon Schiele. Ik ben blij dat je me bij hem geïntroduceerd hebt.'

Elisabeths ogen vlogen over de gasten in de kamer. Waar was Egon gebleven? Hij wist vast nog meer over Bérénice.

'Ik ben er zeker van dat Egon de meisjes zal weten te begeesteren', zei Genia. 'Hij is passioneel, zeldzaam integer, leeft voor zijn kunst en is nog aantrekkelijk ook.'

'Ze zullen genieten', zei Elisabeth. 'Waar is Egon trouwens?'

'Waarschijnlijk mijn tuinpaleis aan het afschuimen, op zoek naar plaats voor zijn schilderijen. Hij mag ze overal ophangen, heb ik hem gezegd.'

'Pas maar op dat ze je niet oppakken voor de verspreiding van pornografie', lachte Elisabeth. 'Trouwens, Genia, word jij, als de Jeanne d'Arc van het Weense meisjesonderwijs, niet nu al beticht van bezoedeling van de geesten van minderjarige meisjes?'

Genia's gulle lach vulde de kamer.

'Met Hemme aan mijn zij kan me niets gebeuren.'

Elisabeth, die gemerkt had dat Mary al een paar keer oogcontact had gezocht, besloot haar te verlossen van de Amerikanen, die haar natuurlijk uithoorden over de legendarische Isodora Duncan, bij wie Mary haar dansopleiding had gevolgd. Egon zie ik straks nog wel, dacht ze.

'Genia, neem me niet kwalijk, maar ik móét Mary Dobrzensky spreken. Eindelijk wat bijpraten.'

'Doe dat, liefje. Ze ziet er goed uit, vind je niet? De jaren in Amerika hebben haar deugd gedaan.'

De twee Amerikanen, die Mary's brede glimlach zagen toen Elisabeth naderde, trokken zich met een vage verontschuldiging hoffelijk terug.

'Veel te lang geleden, Mary.'

Ze kusten elkaar.

'Gaan we naar de bibliotheek, boven?'

Mary knikte.

Op de eerste verdieping wierp Elisabeth snel een blik in Hemmes slaapkamer. Geen Egon.

Elisabeth liet Mary voorgaan en trok de bibliotheekdeur achter zich dicht. Toen ze zich omdraaide was het net alsof Lucretia in de hoek van de bibliotheek lachend opkeek van haar boek, dat ze, zoals zo dikwijls, staande aan het lezen was.

Elisabeth wist niet waar te beginnen en ze zag hoe zacht Mary's ogen waren geworden. Mary zei niets maar met een simpel gebaar sloot ze Elisabeth in haar armen. De eenvoud en de pure schoonheid van het gebaar ontroerden Elisabeth zo dat ze in snikken uitbarstte, alsof jaren opgekropt verdriet eindelijk een uitweg had gevonden.

'Stil maar, kindje', suste Mary, die Elisabeth in haar armen wiegde. 'Jou treft geen schuld. Je hebt jezelf helemaal niets te verwijten.'

Nadat ze waren gaan zitten en Elisabeth uitgebreid haar neus had gesnoten, zei Elisabeth: 'Vertel me hoe je Lucretia aan de voet van de trap vond.'

Net Lucretia, dacht Mary, die schakelde ook zo snel.

'Het was vijf over vijf in de namiddag, er brandde geen licht – wat me ongerust maakte – en de voordeur stond op een kier. Ik had Lucretia beloofd niet voor vijf uur langs te komen. Ik dacht dat ze me wilde verrassen met een bijzonder afscheid omdat ik de volgende dag voor twee jaar naar New York vertrok.'

Mary pauzeerde even.

'Ze wilde later ook dansen, Elisabeth: vrij, op blote voeten en in de natuur. Ze had er de persoonlijkheid voor.'

Elisabeth hoorde de snik in Mary's stem en legde haar hand op Mary's knie.

'Ze had zo veel talenten, die Lucretia van ons', zei Elisabeth.

Even was het stil in de bibliotheek.

Half tot zichzelf zei Elisabeth: 'Lucretia had eerder die dag Hélène, de gouvernante, weggestuurd en jou wilde ze pas om vijf uur zien, niet vroeger.'

Elisabeth aarzelde.

'Verwachtte ze iemand kort na de middag?'

De vraag bleef tussen hen in hangen.

'Had ze het nog over haar vriendinnetje? Over Christina?'

'Af en toe. Ze wilde maar niet aanvaarden dat een waterrat als Christina zomaar kon verdrinken en ze vroeg zich af wat er gebeurd kon zijn.'

Mary zuchtte.

'Ik heb in clichés geantwoord, Elisabeth, en daar heb ik nog elke dag spijt van.'

Elisabeth streelde Mary's haren.

'Elisabeth, weet je dat Lucretia ervan droomde om later, samen met Christina, naar Zürich te gaan? Ze wilden voor dokter studeren.'

'De dansende dokter', lachte Elisabeth ondanks alles.

'Zal ik wat koffie halen?' vroeg Mary.

Elisabeth knikte.

'Als je op Egon zou stuiten, vraag hem meteen of hij even langskomt.'

Elisabeth staarde nog voor zich uit toen Mary met twee kleine, porseleinen kopjes en een pot dampende koffie terugkwam.

'Wie was toch dat meisje dat in het voorjaar de bomen in klom om nesten leeg te halen?' vroeg Elisabeth na een slok gloeiende koffie.

'Fijn gebouwd, levendig, donker haar?'

'Dat is ze.'

'Bérénice Kinsky.'

'Uit Adlerkosteletz?'

'Tot de dood van haar moeder woonde ze in Adlerkosteletz, daarna ging ze naar een kostschool. Ik heb haar nog een tijdje dansles gegeven.'

'Hoe was ze?'

'Ze verveelde zich. Alles verveelde haar. Waarom ben je zo in Bérénice geïnteresseerd, Elisabeth?'

'Ik dacht dat Lucretia en zij vriendinnen waren.'

'Ah, ik vergeet altijd dat je toen al een stadsmus was en

weinig naar je ouderlijk landgoed kwam. Nee, Bérénice was veel ouder. Zij zag Lucretia niet eens staan.'

'Ach zo.'

'Merkwaardig meisje, die Bérénice.'

'Nog wat koffie?' vroeg Elisabeth.

Het voelde alsof Lucretia, die dol was op verhalen, erbij was komen zitten. Zoals altijd in kleermakerszit op de grond, handen onder de kin, ellebogen op de knieën, een en al oor.

'Ken je het kasteel van Adlerkosteletz?'

'Ik ben nooit in het kasteel zelf geweest, maar het park eromheen met zijn zwanenvijver is paradijselijk.'

'Daar zwemmen zwarte zwanen, Elisabeth.'

'Een cigarillo?'

'Graag.'

Elisabeth zette de asbak tussen hen in. Bedachtzaam blies Mary de rook voor zich uit.

'Het moet begonnen zijn in de nazomer van 1910. Bérénice was zestien geworden en papa Kinsky had beslist dat ze naar een kostschool moest. De zoveelste huisleraar was woedend vertrokken en hij vond dat het tijd werd dat zijn dochter wat discipline werd bijgebracht. Het was toen dat haar moeder ziek werd.'

Elisabeth zag vanuit haar ooghoek hoe Lucretia vol aandacht meeluisterde.

'Vertel, Mary, het zal je opluchten.'

'Het was Allerzielen. Ik had net ontbeten. De zwakke herfstzon scheen op mijn boek – *Als wij doden ontwaken* van Ibsen, ik weet het nog – en ik hoorde in de verte een galopperend paard naderen. Hinnikend stopte het voor het terras en ik wachtte bewust enkele seconden alvorens

mijn ogen op te slaan. Laat het een bode van Adlerkosteletz zijn, bad ik. Ik keek op en ja, hij was het. Hij knikte
me toe en zei: "Het is volbracht."'

Mary's cigarillo was uitgegaan en Elisabeth gaf haar
een vuurtje.

'Dank je.'

'Het zijn de emoties.'

Mary inhaleerde diep.

'Het was een helletocht, Elisabeth. In het begin leek de
gravin alleen maar te vermageren, wat haar mooier maakte. Ze straalde toen een melkwit licht uit. Maar daarna
was het net of haar huid uiterst langzaam over haar fijne
beenderstructuur werd opgespannen. Dokters uit alle
hoeken van het rijk werden aangezocht en niemand wist
raad met de mysterieuze ziekte die het lichaam van de
gravin van binnenuit aanvrat. De eerste weken van september was het nog een komen en gaan op Adlerkosteletz,
maar naarmate de weken vorderden werd het er stiller en
stiller. Het sprookjeskasteel werd een duister praalgraf,
dat zich onherroepelijk rond de gravin sloot.'

Elisabeth schonk Mary nog wat koffie in.

'Nooit kwam er een klacht over haar lippen. Ook niet
toen de wasbleke huid van haar rug als een veel te strak
gespannen snaar knapte en de etter en het bloed op de damasten lakens spatten. De stank was vreselijk, Elisabeth.
Alleen de graaf bezocht haar nog én Bérénice, 's morgens
en 's avonds. In de nacht van Allerheiligen op Allerzielen
is ze overleden.'

Mary zuchtte.

'Ik condoleerde de graaf, die er vreselijk uitzag en zich
zorgen maakte om Bérénice. "Ze is extreem gevoelig,"

zei hij, "een echte kunstenaarsziel. Ze is in staat om haar moeder in de dood te volgen."'

'Zag jij dat ook in Bérénice, Mary? Dat ze suïcidaal was?'

Mary keek Elisabeth aan.

'De graaf vreesde dat ze gek werd van verdriet. 's Morgens had ze met een schaar overal bloemen uit de gordijnen geknipt om op het doodsbed van haar moeder te leggen.'

Elisabeth voelde hoe Lucretia onrustig over de grond schoof.

'Hij vroeg me of ik wilde helpen een oogje in 't zeil te houden tot de rauwste emoties voorbij waren, waarop ik hem zei dat dit onmogelijk was, dat ik zelfs niet naar de begrafenis van de gravin kon komen omdat ik dansstages in Parijs moest begeleiden. Hij was radeloos en daarom heb ik hem het adres van een goede vriendin gegeven.'

'Heeft je vriendin Bérénice kunnen helpen?'

'De graaf heeft mijn vriendin nooit gecontacteerd.'

Mary nipte van de koud geworden koffie.

'Hij vroeg me of hij zijn dochter laudanum zou geven, om de pijn te verzachten. Maar zielenpijn verdrijf je niet met wat laudanum.'

'Er was dus laudanum in het kasteel?'

'Altijd. Zeker de laatste maanden. Op het einde kon de gravin niet meer zonder en het was Bérénice die het haar drie keer per dag toediende.'

Elisabeth leek heel even afwezig.

'Elisabeth?'

'Neem me niet kwalijk, Mary. Mijn verbeelding ging met me op de loop.'

Mary knikte.

'Even nadat de graaf mijn hulp had ingeroepen, hoorden we plots een dierlijke schreeuw. "Bérénice", riep de graaf en we stormden naar boven, naar de rouwkamer.'

Lucretia was gaan staan en staarde naar Mary.

'In de donkerste hoek van de kamer – het was al begonnen te schemeren – zat Bérénice, helemaal ineengedoken en met een vreemde glimlach op haar gezicht. Ze drukte de lievelingskat van haar vader liefkozend tegen haar wang alsof ze warmte zocht in de zilverkleurige vacht van de pers.'

Mary pauzeerde even.

'Die blik, Elisabeth. Die geamuseerde, heldere, licht spottende blik van onder haar donkere wenkbrauwen, die kan ik maar niet uit mijn hoofd zetten. Shock, denk ik.'

Elisabeth streelde Mary's arm.

'De kat was dood. Een ruw gekartelde, stalen klem zat rond haar nekje en haar ogen keken wijdopen naar het niets. "Ik vond haar vanmorgen in de tuin", zei Bérénice. "De jongens van het dorp waarschijnlijk." Haar stem klonk hoog en lief. "Kun je haar bevrijden, papa?"'

Weer werd het stil in de bibliotheek.

'Ik denk dat de graaf en ik het gelijktijdig zagen.'

Mary staarde naar de asbak.

'Het bloed op de pootjes.'

Elisabeth doofde haar cigarillo.

'Een kat steekt nooit haar hoofd in een klem', zei Mary. 'De pers moet zich verweerd hebben. Dorpsjongens moeten haar eerst hebben vastgebonden – de wonden in de pootjes waren diep – om het hoofdje in de openstaande klem te kunnen duwen.'

Verslagen zaten Elisabeth en Mary in hun leunstoel. Elisabeth durfde de stilte niet te breken.

'Er stonden acht foto's.'

Het was net of zich een schokgolf door de kamer verplaatste.

'Er stonden acht genummerde foto's rond het doodsbed van de gravin. Sinds haar veertiende fotografeerde Bérénice alles wat los of vast zat. In acht foto's had ze de langzame aftakeling van haar moeder vastgelegd.'

Elisabeth durfde niet verder te vragen.

'Ik denk dat de foto's een manier waren van Bérénice om met de ziekte van haar moeder te kunnen omgaan, een kinderlijke poging om de mysterieuze ziekte tot stilstand te dwingen, te fixeren in een foto', zei Mary.

Elisabeth zag dat Lucretia verdwenen was. Ze rilde.

'Weet je wat ik zo gek vind, Elisabeth?'

Elisabeth zweeg.

'Daarnet, in het salon … heel even dacht ik Bérénice te zien.'

Elisabeth haalde diep adem.

'En je bent er niet naartoe gegaan?'

'Nee, ik was er niet helemaal zeker van. Als zij het was, dan was ze blond nu. Plots was ze verdwenen.'

'Mary, ik weet het, het is onbeschoft, maar ik moet weg. Iemand heeft me dringend nodig. Ik leg het je nog allemaal uit.'

Elisabeth omarmde Mary stevig.

'Honderdmaal mijn excuses, Mary. Je blijft toch nog even in Wenen?'

'Tot woensdag.'

'Hotel Imperial, zoals gewoonlijk?'

Mary knikte.

'Ik neem nog contact op en vertel je alles.'

Elisabeth wierp Mary nog een laatste handkus toe en snelde weg.

DERTIEN

Hofrat Siegfried von Recht was nog aan het werk op zijn kantoor aan de Schmerlingplatz 10. Hij had het personeel om zes uur naar huis gestuurd – een plotse doorbraak in het onderzoek zat er vandaag toch niet meer in – zodat in het verlaten gerechtsgebouw alleen hij, zijn secretaris en de bode nog van dienst waren. Hij betrapte zichzelf erop dat hij al een tijdje dezelfde pagina van het pas aangekomen dossier fixeerde. Niet omwille van de inhoud, wel omdat zijn gedachten voor de zoveelste keer waren afgedwaald. Naar eergisteren.

Ik heb me onsterfelijk belachelijk gemaakt. Het wordt tijd dat ik ermee stop, de eer aan mezelf houd.

Het speet hem dat hij deze morgen Elisabeth von Thurn niet had ontvangen. Misschien had zij wel iets ontdekt over de moord op haar nichtje en kregen ze op die manier wat meer bewijsmateriaal dan tot nu toe. Hij had de belofte niet gehouden haar in te lichten zo gauw er belangrijk nieuws in het moordonderzoek van Von Graff zou zijn. Zijn trots had hem ervan weerhouden om haar de simpele waarheid te vertellen: dat hij de moordenaar op Von Graff had laten ontsnappen. Erger nog, dat de moordenaar hem gegijzeld had en als een postpakket had thuisbezorgd. De ultieme vernedering. En of dat nog niet genoeg was had Von Oszietsky daarna, onder zijn ogen bijna, Reinhaus vermoord, hem geëxposeerd als icoon van Weense hypocrisie en op die expositie nog eens de hele pers uitgenodigd.

De Hofrat ijsbeerde nu door zijn werkkamer.

Het was niet de enige fout die in dit moordonderzoek was gemaakt. Was hij te gemakzuchtig geworden, te weinig veeleisend, voor zichzelf en voor zijn personeel? Onvergeeflijk was het dat Weinwurm en consorten hem zo laat verwittigd hadden. Meer uit op machtsvertoon dan op de voortgang van het onderzoek.

De Hofrat ging weer zitten. Hij voelde een opkomende migraine.

We hadden Ignatz von Oszietsky onmiddellijk na de tip moeten arresteren en zijn appartement moeten uitkammen.

De Hofrat nam een blocnote en maakte twee kolommen: 'Kaiser-Panorama' en *Ophelia* van Millais'. Hij zuchtte. Wat hebben het Kaiser-Panorama en *Ophelia* van Millais met elkaar te maken? En waar kwam het meisjeshoofd in godsnaam vandaan? Hij had deze morgen onmiddellijk de agenten van de zedenbrigade bij het Kaiser-Panorama geroepen. Ze hadden hem verzekerd dat de pornografische foto's vrij klassiek in hun genre waren. Akkoord, de meisjes waren jong, maar niet overdreven jong. Een paar meisjes kenden ze – straatkinderen die hun familie onderhielden door zich te prostitueren – maar de meeste waren hun onbekend.

Zou Ignatz von Oszietsky de meisjes naar zijn appartement hebben gelokt? Niets leek daarop te wijzen, de huiszoeking had niets opgeleverd. Of werkte hij samen met een fotograaf? Waar misbruikten ze de meisjes, want het leed geen twijfel dat de schoften hun lusten op hen botvierden.

De bode klopte zacht op de deur, gaf de Hofrat de lijst van genodigden op het feestje van Reinhaus en zei dat inspecteur Weinwurm hem dringend wenste te spreken.

'Laat hem maar even wachten', zei de Hofrat en hij bekeek de lijst van de geïnviteerden. Het zweet brak hem uit. Onmogelijk om die prominenten aan een verhoor te onderwerpen. Als ik dat doe staat heel Wenen op zijn kop. De Hofrat keek vertwijfeld naar zijn notitieboekje. Ook het onderzoek naar de fotograaf leek een maat voor niets te worden: de politie had vijf naaktfotografen ondervraagd, maar geen van hen kwam in aanmerking als verdachte.

De Hofrat opende de deur van de wachtkamer.

'Herr Exzellenz, servitore, hoe vaart Zijne Doorluchtigheid?'

'Geen plichtplegingen vanavond, Herr Weinwurm, er loopt een roofdier rond in onze stad.'

'Duizendmaal mijn excuses, Exzellenz, ik zal het kort houden, maar daarnet wandelde ik voorbij en zag nog licht in uw werkkamer ...'

'Ter zake, Herr Weinwurm.'

'Ik heb een gewetensprobleem, Exzellenz.'

Even was het stil in de kamer.

'Gaat u zitten, Herr Weinwurm.'

'De aanhouding van Herr Von Oszietsky, woensdagmorgen, is enigszins anders verlopen dan ik in mijn verslag beschrijf.'

'Dat heb ik ingecalculeerd, Herr Weinwurm. Wat is het probleem?'

De inspecteur slikte.

'Mijn collega en ikzelf werden bij de arrestatie eerst bewusteloos geslagen, Exzellenz.'

De wenkbrauw van de Hofrat schoot omhoog.

'Herr Ignatz von Oszietsky had dus de tijd en de gelegenheid om te vluchten?'

'Ruimschoots, Exzellenz. En daarna is hij ons vrijwillig gevolgd naar de Schottenring.'

De Hofrat wreef nadenkend over zijn bakkebaarden. Had hij te snel conclusies getrokken? Zou het kunnen dat Ignatz von Oszietsky toch niet de kunstenaar-lustmoordenaar was?

'Exzellenz, stel dat we op de verkeerde jagen en we daardoor de echte moordenaar vrij spel geven.'

'Wat of wie heeft u tot inzicht gebracht, Herr Weinwurm?'

'Herr Stein, een van mijn beste agenten, op wie ik blindelings vertrouw. Wilde nooit promotie omdat hij bureauwerk haat en van straatdienst houdt. Bij zijn buurtonderzoek bezocht hij een fotograaf en voelde instinctief dat er iets niet klopte.'

'En?'

'Zij presenteerde zich als een kunstfotograaf, maar zijn contacten vertelden hem later dat ze in het circuit bekendstaat als een zeer gewild naaktfotograaf.'

'Sinds wanneer is naaktfotografie verdacht?'

Weinwurm kuchte.

'Het ging om "speciale" naaktfotografie.'

'Pornografie?'

'Extremer.'

'Herr Weinwurm, dit is niet het moment voor raadsel-spelletjes. Concreet.'

'Foto's van geweldslachtoffers, van gefolterden.'

'Een vrouw?'

De Hofrat en Weinwurm hoorden in de kamer ernaast een korte discussie en een paar ogenblikken later zwaaide de deur wijd open.

'Neem me niet kwalijk dat ik deze keer mezelf heb uit-genodigd, Herr Hofrat, maar ik moet u dringend spre-ken.'

Elisabeth verscheen in de deuropening.

'Je kent de inspecteur, Elisabeth?'

'Ik heb van zijn heldendaden gehoord.'

'Goed, Herr Weinwurm, we ronden dit boeiende ge-sprek af en morgenvroeg onderzoeken we het nieuwe spoor van de kunstfotograaf. Geeft u me nog even het adres.'

'Atelier Bé, Lange Gasse 44.'

'Bérénice Kinsky', zei Elisabeth.

*

'Champagne?' vroeg de butler nadat hij de petitfours op de salontafel had gezet.

'Nee, dank u, ik denk dat koffie voorlopig volstaat', zei Wolf, die daarbij vragend naar graaf Kinsky keek.

De graaf knikte en de butler verdween even geruisloos uit de Imperial Suite als hij gekomen was.

Het viel Ignatz op hoe bleek en vermoeid de graaf eruitzag. Alsof alle energie uit hem was weggevloeid en hij alleen maar op karakter kaarsrecht in de leunstoel zat.

'Exzellenz, neem me niet kwalijk dat ik zo snel ter zake kom,' zei Wolf, 'maar we maken ons grote zorgen over uw dochter Bérénice.'

'U weet, eerwaarde, hoe ik deze zorgen met u deel. Daarom heb ik ook alles waarmee ik bezig was laten vallen om dit verslag te kunnen beluisteren en er de gepaste conclusies uit te trekken. Maar eerst wil ik toch Herr Ignatz von Oszietsky danken voor de goede zorgen en ik hoop uit de grond van mijn hart dat hij mijn dochter verder blijft behandelen.'

'Ksaveri is een heel goede psychiater, dat lijdt geen twijfel, maar in sommige gevallen is het toch beter om – al is het maar tijdelijk – over te schakelen naar een intensievere begeleiding. Maar ik laat hem liever zelf aan het woord.'

Ignatz kuchte. Op een vraag om hulp niet ingaan, zeker als deze zo emotioneel en radeloos gesteld werd als door de graaf, was altijd moeilijk voor hem, maar Wolf had hem goed op weg geholpen.

'Exzellenz, tot mijn grote frustratie is uw dochter, na een half jaar intensieve therapie, nog altijd een raadsel voor me. Zij is mijn enige patiënt met wie ik geen contact krijg. Soms is ze droevig, soms speels, nu eens sterk, dan weer aanhankelijk, en ineens, zonder aanwijsbare reden, kan ze in woede uitbarsten ... ze verandert telkens als een blad aan een boom.'

'U kunt haar, net als ik, niet bereiken.'

Ignatz zag wanhoop en verdriet in de ogen van de graaf en nog iets anders, dat hij wilde opdelven.

'Niet bereiken en niet begrijpen. Daarom hebben we uw hulp nodig: om feiten uit haar verleden te achterhalen. Zelf is ze heel veel vergeten.'

'Wat wilt u weten?'

'In het begin van de week kwam ze totaal overstuur mijn spreekkamer binnen, een half uur te laat, niet haar gewoonte. Ze had Moosbrugger gezien en zei: "Ik ben zo bang, dokter. Zo verschrikkelijk bang." Hebt u haar, toen ze jong was, vaak bang gezien, Exzellenz?'

'Nooit. Bérénice speelde graag buiten. Ze zat voortdurend in de bomen of haalde kattekwaad uit. Een wildebras, altijd op onderzoek, vrij als een vogel.'

'Had ze vriendinnetjes? Ze sprak over een zekere Sophie.'

'O, Sophie Stieber. Tragisch verongelukt. Verdronken in een vijver. Bérénice was er kapot van. Ze probeerde het meisje nog te redden.'

Ignatz wisselde een snelle blik met Wolf.

'Gingen ze niet allebei naar een psychiater, Bérénice en Sophie?'

'Siegfried Bauer: verstandig man maar onbehouwen. Hij is een praktijk in New York begonnen.'

Wolf zag de graaf aarzelen.

'Heeft Bérénice zelf de therapie afgebroken?' vroeg Wolf.

'Nee, het klikte niet tussen haar en Bauer. Sophie boekte vooruitgang, zei hij, maar Bérénice bleef ter plaatse trappelen. U hoort het, hij formuleerde als een boer.'

Even viel er een stilte. Ervaring had Ignatz geleerd stiltes niet in te vullen.

'Bérénice hield er niet van dat hij haar zo bestudeerde',

vervolgde de graaf. '"Ik voel me net een vlinder, die door hem wordt vastgepind", zei ze. Ik kreeg medelijden met haar en heb toegegeven. Bauer was opgelucht, hij zei dat hij kippenvel van haar kreeg.'

De graaf staarde naar de onaangeroerde petitfours.

Wolf knikte naar Ignatz. Het moment om toe te slaan was aangebroken.

'Exzellenz, het spijt me u te moeten meedelen dat ook mijn voorlopige diagnose weinig hoopgevend is. Ik vrees dat Bérénice weinig tot geen moreel besef heeft.'

De graaf werd lijkbleek en enkel de korst van de wellevendheid hield hem overeind.

'Ik riep haar als kleine meid regelmatig op het matje en wees haar dan op haar verantwoordelijkheid als Kinsky: we hebben de plicht om onszelf te vormen, veel van onszelf te eisen, om model te staan voor anderen, die in het leven minder geluk hebben gehad dan wij. Na zo'n reprimande knikte ze altijd heel berouwvol en zei: "Het spijt me, papa" of "Wat ben ik toch weer dom geweest, papa" of "Ik beloof dat ik het nooit meer zal doen, papa." Kortom, mijn woorden gleden van haar af als water van een zwaan.'

Weer werd het stil in de Imperial Suite.

'Mijn vrouw zaliger had Bérénice voor haar veertiende verjaardag een fotoapparaat cadeau gegeven. Een schot in de roos. Nog altijd is fotografie haar grote passie en dat is wat voor zo'n rusteloze natuur als mijn dochter.'

Ignatz en Wolf hadden het al vaker meegemaakt: een gesloten, eenzelvige persoon, die jarenlang een verschrikkelijk geheim torste en plots een spraakwaterval werd zodra hij de toestemming kreeg om zijn hart te luchten.

'In het begin fotografeerde ze alles. Later, toen haar artistiek talent zich ontwikkelde, werd ze kieskeuriger. Ze vond bijvoorbeeld dat de witte zwanen in de vijver vervangen moesten worden door zwarte. Voor een mooier contrast met de sneeuw en de ijsblauwe lucht.'

Het kostte de graaf moeite om verder te gaan.

'Ze waren zo tam, de witte zwanen. Mijn vrouw zaliger voederde ze elke morgen, ze aten uit haar hand.'

De graaf boog het hoofd.

'Op een morgen lagen ze onthoofd in de sneeuw. We hebben nooit kunnen achterhalen wie het gedaan heeft. Waarschijnlijk jongens van het naburige dorp. Sindsdien zwemmen er zwarte zwanen in onze vijver.'

De graaf keek even op naar Wolf.

Wolf sloot zijn ogen. Hij heeft het altijd geweten, maar nooit willen aanvaarden.

'Nog een laatste vraag', zei Ignatz. 'Bent u vertrouwd met het werk van de Blaschka's?'

'Bérénice is er dol op. Ze verzamelt bloemen en weekdieren van de Blaschka's. Sinds enkele jaren stuur ik haar voor haar verjaardag een meesterstuk van hen op. Het werk van de Blaschka's doet me aan haar denken: van een etherische schoonheid, een perfecte imitatie van de natuur maar volmaakt in zichzelf gekeerd en ijzingwekkend koud.'

'Wat was het laatste meesterstuk dat u haar hebt opgestuurd?'

'Een "Physalia Arethusa", omdat ze zo tegen de stroom in durft te zwemmen.'

'We moeten gaan', zei Wolf, die opstond. 'Het wordt tijd dat we Bérénice tegen zichzelf beschermen.'

Het was zachtjes gaan sneeuwen en de witte donslaag op de stoep weerkaatste het licht dat uit de Lange Gasse 44 lekte. Graaf Kinsky belde voor de tweede keer aan en putte zich uit in verontschuldigingen.

'Dit is nog nooit gebeurd, Eerwaarde. De butler, Herr Müller, is met het huis vergroeid en laat het nooit in de steek, zeker 's avonds niet.'

De graaf pakte zijn sleutel, opende de voordeur en liet Wolf en Ignatz binnen. Overal brandde licht. Van het kleinste schemerlampje tot de grote kristallen luchter, alles was aan.

'Schatje, papa hier. Liefje, waar ben je?'

De stem van de graaf klonk ijl en zwak.

'Misschien is ze aan het werk in haar atelier of in de donkere kamer. We vinden haar wel', zei de graaf.

Wolf en Ignatz volgden de graaf naar de eerste verdieping. De deur van het atelier stond wagenwijd open.

'Haar fotomateriaal en haar grote fotoboek zijn weg', zei de graaf.

Ignatz en Wolf keken elkaar aan. Het roofdier was ontsnapt.

De schittering van glas lokte Ignatz naar de Wiener Werkstätte-vitrinekast. Orchideeën van de Blaschka's. Wat haar zo dierbaar was, lag er nog. Had het zo vlug moeten gaan?

Iemand belde aan.

'Waar is de donkere kamer, Exzellenz?' vroeg Wolf.

'Ik leid u ernaartoe, Eerwaarde. Het is haar heiligdom. Ik mocht het nooit betreden, maar nood breekt wet.'

Samen gingen ze naar de tweede verdieping. De bel ging voor de tweede keer, nadrukkelijk nu, maar de graaf sloeg er weer geen acht op. Hij zocht naar de sleutel van de donkere kamer en net toen hij die gevonden had hoorden Ignatz en Wolf hevig gekraak, gevolgd door het geroffel van laarzen, dat zich snel door het hele huis verplaatste. De graaf, die in een eigen wereld gevangen leek, opende de deur. Samen betraden ze het universum van Bérénice.

In een halve cirkel, tegen de achterste muur, stonden acht houten zuilen. Op vier ervan stond een borstbeeld met een masker van goudborduursel en barokbrokaat. Rond de hoofden krulde rafelige gouddraad en daarop rustte een diadeem. Het contrast tussen de bleke naaktheid van het voorhoofd en de weelderige rijkdom van het masker verontrustte. Er ging een onheilspellende kracht van uit en in Ignatz' hoofd jankte het: laat geen van hen Bubi zijn. De graaf stond versteend en staarde naar de foto's die rond hem, op de grond en op de tafels, schots en scheef door elkaar lagen.

'Handen omhoog!'

Drie soldaten van het elitekorps stonden met getrokken geweren in de deuropening.

'Mag ik u voorstellen, Zijne Doorluchtigheid graaf Franz J. Kinsky', pareerde Wolf.

Hofrat Von Recht, die, samen met Weinwurm en Elisabeth, de soldaten op de voet was gevolgd zei: 'In orde, commandant. Doorzoek het hele huis en roep me als u iets of iemand hebt gevonden.'

Hij knikte naar de gerechtelijke fotograaf, die routineus het flitsapparaat boven zijn hoofd stak en een foto van de helwit verlichte kamer nam.

De commandant werd koud toen hij de foto's van verminkte lichamen en mensen in doodsangst zag. Hij hernam zich en beval: 'Eerst de kelder!' en gaf de forensisch fotograaf een teken om hem te volgen.

Von Recht, die vluchtig de foto's had bekeken en een aantal meisjes uit het Kaiser-Panorama herkende, rilde toen hij Mizzi's hoofd en gefolterde lichaam zag. Elisabeth schoof de fotolades open, koortsachtig op zoek naar beelden van Lucretia.

'Exzellenz, het wordt tijd om te praten', zei Wolf. 'Brengt u ons allen naar een rustiger plaats?'

De graaf ging hun voor naar de visitekamer op de eerste verdieping.

'Hofrat Siegfried von Recht leidt het moordonderzoek naar professor Von Graff en Herr Reinhaus', zei Wolf tot de graaf. 'U kent elkaar, Exzellenz?'

'Niet persoonlijk, Eerwaarde, maar zijn goede naam en faam staan bekend.'

'Ik ben de biechtvader van graaf Kinsky, Herr Hofrat, vandaar mijn aanwezigheid. En de psychiater van zijn dochter hoef ik u en inspecteur Weinwurm niet voor te stellen, neem ik aan.'

Weinwurm zocht met zijn blik steun bij de Hofrat, die hem negeerde.

'Mag ik op mijn beurt Fürstin Elisabeth von Thurn voorstellen', zei de Hofrat. 'Zij heeft vanavond, samen met inspecteur Weinwurm, voor een doorbraak gezorgd.'

Ignatz knikte galant en zag heel even een zweem van een lachje over Wolfs dunne lippen glijden.

Een doorbraak, dacht Elisabeth. Was het maar waar.

Ik heb Bérénice op de vlucht gejaagd. Toen ze me samen met Egon in Genia's salon zag, moet ze onraad hebben geroken. Ze vervloekte zichzelf.

De Hofrat wendde zich nu tot de graaf en zei: 'Exzellenz, ik vrees dat we slecht nieuws hebben. Uw dochter Bérénice wordt beschuldigd van meervoudige moord met voorbedachten rade.'

Het was doodstil geworden.

'Hebt u enig idee waar ze op dit moment kan zijn?'

De graaf knipperde met zijn ogen als een dier dat werd verblind door plots, fel licht.

'Ze komt altijd terug naar huis, Bérénice. Altijd.'

De graaf tastte hulpeloos in het verleden.

'Soms overviel haar een ongedurigheid. Dan lunchte ze met ons op Adlerkosteletz, onbezorgd en vrolijk, en dan ineens, enkele uren later, was ze verdwenen. Soms voor maanden. Maar ze komt altijd terug.'

Het leek Ignatz alsof het lichaam van de graaf elk moment in elkaar kon storten. Het roofdier, dat zijn dochter was, had hem leeggezogen en enkel het karkas achtergelaten. Alleen zijn onvoorwaardelijke liefde voor haar hield hem nog overeind.

'Enig idee waar ze dan naartoe trok?' durfde Elisabeth te vragen.

'We hebben geleerd om niet naar haar op zoek te gaan, gnädige Frau. Hoe meer we zochten, hoe beter ze zich verborg. Haar vrijheid is haar hoogste goed.'

Ignatz vroeg zich af op wie die 'we' sloeg.

'Heeft ze een eigen fortuin, Herr Graf?'

Elisabeth wist dat ze met haar vragen de veerkracht van de graaf tot het uiterste testte.

'Mijn vrouw zaliger heeft haar op het einde van haar leven veel geld geschonken.'

De graaf was asgrauw geworden. Hij greep plots naar zijn linkerschouder, mompelde een excuus, stond moeizaam op uit zijn leunstoel, wankelde, probeerde nog steun te zoeken tegen de muur, maar viel achterover en sleurde in zijn val het grote schilderij *La belle dame sans merci* met zich mee, dat met een luide smak op de vloer plofte.

Ignatz snelde toe en opende de vergulde knopen van het jasje van de graaf terwijl Wolf probeerde op te vangen wat de graaf hem nog wilde zeggen.

'Vergeef me vader. En vergeef mijn dochter haar wrede schoonheid ...'

Wolf zegende het voorhoofd van de graaf.

'Te absolvo, mijn zoon. Rust in vrede.'

Buiten reed een fiaker langs.

Ignatz keek op en zag Elisabeth een haarspeld in het slot van een houten deurtje wurmen dat door het schilderij aan het oog onttrokken was geweest. Ze opende het deurtje en een verschrikkelijke stank kwam hun allen tegemoet. In een nis, op een grauwwit doek, lag een oudere man in zwarte overjas met in zijn armen een meisje. Rond hen was een dik touw geknoopt.

'Bubi', riep Ignatz.

Hij liep naar de nis, maar de Hofrat hield hem tegen.

'Eerst alles vastleggen', zei de Hofrat en Weinwurm stormde weg om de fotograaf te verwittigen.

'*De dood en het meisje*', zei Elisabeth. 'Schiele.'

De fotograaf werkte snel en efficiënt.

Het inzicht trof Elisabeth als een bliksem: 'Bubi omarmt de dood niet, zoals het meisje bij Schiele. De dood omarmt haar.'

Nu was Ignatz niet meer tegen te houden. Misschien leefde Bubi nog. Hij maakte snel het touw los en probeerde haar los te wrikken uit de greep van de man. Toen dat niet lukte, trok hij hen met inspanning van al zijn krachten op het tapijt en voelde Bubi's pols.

De spanning was te snijden.

Ignatz leunde nu vlak bij Bubi's mond en voelde een nauwelijks merkbaar zuchtje.

'Ze ademt.'

Elisabeth zag dat Bubi gekneld lag in de rigor mortis van de oude man en aarzelde geen moment. Met een paar bewegingen brak ze de broze armen van de man.

De butler, dacht Von Recht. Hij was al dood toen Bérénice Bubi levend met hem opsloot.

De klop op de deur haalde de Hofrat uit zijn verbijstering. De commandant kwam binnen en bevestigde wat ze allemaal al wisten.

'Exzellenz, we hebben het hele pand uitgekamd, maar de vogel is gevlogen.'

'En de kelders?'

'Leeg. Oude bloedsporen.'

De Hofrat zag de commandant naar het bewusteloze meisje kijken.

'Breng haar in veiligheid, commandant. Roep er de beste dokters bij.'

De commandant salueerde, nam Bubi als een pluimpje in zijn armen en verdween.

'Herr Weinwurm', riep de Hofrat. 'Mobiliseer onmiddellijk uw onderzoekseenheid. Stuur mannen naar

Adlerkosteletz. Ondervraag het personeel, naburige land-
bouwers, koetsiers en zoek uit waar ze naartoe gevlucht
kan zijn.'

Ignatz balde zijn vuisten. Het pure kwaad was vlakbij
geweest en hij had het te laat gevoeld.

'Ga met een foto naar het station en de Praterkai. De
trein of de stoomboot, misschien heeft iemand haar op-
gemerkt.'

Ik heb Bérénice sterker gemaakt, dacht Ignatz. In de
toekomst zal ze nóg slinkser, nóg sluwer te werk gaan.

'Laat de rekeningen van de graaf blokkeren. Catalogi-
seer de foto's en achterhaal de identiteit van alle slachtoffers. Haal de onderste steen boven.'

Ze gaat verder, dacht Ignatz. In een andere stad, in een
andere gedaante.

'En hou de pershonden in godsnaam aan de leiband',
riep de Hofrat Weinwurm nog na. Zijn stem had kracht-
dadig geklonken, maar ze beseften allemaal dat hij zijn
onmacht verborg achter een spervuur van bevelen.

Wolf, Von Recht, Ignatz en Elisabeth stonden verweesd
tussen de ravage die Bérénice had achtergelaten. Het roofdier dat eruitzag als een betoverende vrouw was hun te
slim af geweest en zou slachtoffers blijven maken.

Ignatz en Elisabeth keken elkaar aan, wisten dat ze
hetzelfde dachten en hernieuwden woordeloos hun verbond.

Antwerpen, 2 februari 2010

NAWOORD

Alles begon met Egon Schiele.

Ik had nog geen verhaal, geen thema, geen woorden of beelden in mijn hoofd, toen ik al wist dat deze Weense avant-gardeschilder een centrale rol zou spelen in *Wrede schoonheid*. Schiele verstoorde de gemoedsrust in Wenen omdat hij in zijn schilderijen de brutaliteit van het geweld laat zien. Hij verbloemde de werkelijkheid niet, maar toonde haar, wilde de ziel ervan treffen. Pijn was zijn muze. In zijn kunst sloot hij geen enkel compromis, in zijn persoonlijke leven koos hij in 1915 voor een burgerbestaan. Ik hoop hem in deze misdaadroman recht te hebben gedaan.

Mijn tweede grote inspiratiebron voor *Wrede schoonheid* was een briljante studie: *Idols of Perversity. Fantasies of Feminine Evil in Fin-de-Siècle Culture*, waarin Bram Dijkstra de culturele oorlog tegen de vrouw schetst. Misogynie, vrouwvijandigheid, kan vele vormen aannemen, toont hij aan, en het keurslijf voor vrouwen is van alle tijden. *Wrede schoonheid* is een slagveld van vele vrouwbeelden geworden.

Met *Wrede schoonheid* wilde ik ook de duisternis van het kwaad ingaan. Niet het structurele kwaad, niet het kwaad dat inherent is aan de macht, maar deze keer het 'zuivere' kwaad, het ongemotiveerde kwaad. Ik begreep het niet en begrijp het nog altijd niet, maar de belangrijkste gids op deze donkere weg was *The Mask of Sanity* van Hervey Cleckley, die me ervan heeft overtuigd dat het bestaat: een wezen zonder enig moreel besef dat het masker van een gezond mens draagt.

Wrede schoonheid is een historische misdaadroman. Vele gegevens kloppen en ik dank allen die me bij het onderzoek geholpen hebben. De diagnoses die Ignatz gebruikt zijn de diagnoses die in die tijd in het beroemde Landessanatorium Steinhof werden gehanteerd. Schiele zat een tijdje in de gevangenis, aangeklaagd voor schending van de openbare zeden. Doctor Bauch, de advocaat die hem naar porno vroeg, heeft hij in 1912 zijn atelier uit gegooid. Ik koos bewust niet voor het burgerlijke salon van Alma Mahler maar voor het minder bekende maar kleurrijkere salon van Eugenia Schwarzwald en haar ménage à trois.

Soms heb ik de werkelijkheid moeten aanpassen om een beter verhaal te maken. Zo is het bureau van Hofrat Von Recht, met de geheime camera's en technieken om vingerafdrukken af te nemen van bezoekers, geïnspireerd op het kantoor van Alfred Redl, hoofd van de contraspionage. Professor Von Graff, die Schiele in 1910 één keer per maand in de Frauenklinik toeliet om vrouwelijke patiënten te schilderen, heb ik laten vermoorden. Gelukkig voor hem is dit alleen in mijn fantasie gebeurd.

Carl Reinhaus refereert aan Carl Reininghaus, eigenaar van een kleurenfabriek en van Schlemm-Werke C.J. Reininghaus in Gösting bij Graz. In Wenen gold hij als de grootste verzamelaar van Oostenrijkse en Franse schilderkunst. In 1912 vroeg hij Schiele om een pornografisch kabinet in te richten, wat Schiele verontwaardigd geweigerd heeft. Na Schieles gevangenisstraf vroeg Reininghaus of Schiele hem in het vervolg niet langer meer met het 'Du-Wort' wilde aanspreken en hem wilde mijden. Op Reininghaus' soirees was Schiele niet langer welkom. Reininghaus' door mij gefantaseerde lot is op geen enkele wijze bedoeld als zoete wraak.

Een aantal mensen wil ik persoonlijk bedanken.

Peter van Kraaij, regisseur en schrijver van *Trinity Trip* voor het muziektheatercollectief Walpurgis. Dankzij zijn prachtige toneelstuk leerde ik de fameuze glaskunstenaars Leopold en Rudolf Blaschka kennen.

Gerlinde Verbist, die, na een congres in Wenen, nog onversaagd de Narrenturm is binnengegaan om er foto's van anatomische waspreparaten (verschillende stadia van syfilis) te zoeken. In 1913 was tweederde van de sterfgevallen in Wenen te wijten aan syfilis.

Jim Madison Davis, president van de International Association of Crime Writers (AIEP), wil ik danken voor het offreren van zijn boek *The Novelist's Essential Guide to Creating Plot*. Van hem leerde ik dat, in een goed verhaal, ideeën rijden op de emoties.

Emeritus professor Piet Tommissen en Henri-Floris Jespers wil ik danken voor de steun in de rug. De zeventiende uitgave van *Geschlecht und Charakter* van Otto

Weininger uit 1918 lag steeds in mijn schrijfkamer en de idee dat het boek uit Paul van Ostaijens bibliotheek kwam, gaf me vleugels.

Sander van Vlerken en Ronald Grossey dank ik voor het lezen van en het stimulerende commentaar op mijn manuscript in wording.

Ten slotte zijn er twee personen die, met niet aflatende ijver en zorg, de kwaliteit van *Wrede schoonheid* bleven bewaken: René Broens en Ad van den Kieboom. Aan hen dank ik veel.